Le TOP60

depuis 1967

Les Éditions Transcontinental
1100, boul. René-Lévesque Ouest, 24e étage
Montréal (Québec) H3B 4X9
Téléphone : 514 392-9000 ou 1 800 361-5479
www.livres.transcontinental.ca

Catalogage avant publication de Bibliothèque et Archives nationales du Québec et Bibliothèque et Archives Canada

Campbell, Ken, 1962-

Le top 60 depuis 1967
Traduction de : The Top 60 since 1967
ISBN 978-2-89472-351-7

1. Joueurs de hockey - Amérique du Nord. 2. Joueurs de hockey - Amérique du Nord - Ouvrages illustrés. 3. Ligue nationale de hockey. I. Proteau, Adam. II. Titre.

GV848.5.A1C3514 2007   796.962'6409227   C2007-941281-5

Cet ouvrage est traduit de l'anglais *The Top 60 since 1967* © Éditions Transcontinental, 2007

Direction éditoriale : Jason Kay
Consultation : Arnold Gosewich
Recherche photo : Matt Filion, Jamie Hodgson
Correction : Jacinthe Lesage
Mise en pages : Studio Andrée Robillard
Conception graphique de la couverture : Matt Filion, Studio Andrée Robillard
Crédits photos : Sports Action Photography et Getty Images

Imprimé au Canada
© Les Éditions Transcontinental, 2007
Dépôt légal – Bibliothèque et Archives nationales du Québec, 4e trimestre 2007
Bibliothèque et Archives Canada

Nous reconnaissons, pour nos activités d'édition, l'aide financière du gouvernement du Canada par l'entremise du Programme d'aide au développement de l'industrie de l'édition (PADIÉ). Nous remercions également la SODEC de son appui financier (programmes Aide à l'édition et Aide à la promotion).

Pour connaître nos autres titres, consultez le **www.livres.transcontinental.ca**.
Pour bénéficier de nos tarifs spéciaux s'appliquant aux bibliothèques d'entreprise ou aux achats en gros, informez-vous au **1 866 800-2500.**

The Hockey News

Ken Campbell et Adam Proteau

Le TOP 60

depuis 1967

Traduit de l'anglais par Danielle Charron

Les Éditions
Transcontinental

À Lucie, Connor et Lukas – mes trois meilleurs de l'expansion familiale.

– KC

À ma mère et à mon grand-père, ainsi qu'à TB, la première et la meilleure.

– AP

Remerciements

Bien que nos noms figurent sur la couverture de cet ouvrage, celui-ci n'aurait probablement jamais vu le jour sans le concours d'un grand nombre de personnes que nous tenons à remercier :

- Jason Kay, rédacteur en chef de *The Hockey News,* pour sa vision, son dévouement et sa confiance absolue en nous.

- Sam McCaig, notre fameux réviseur, qui a disséqué et peaufiné notre texte pour le rendre présentable.

- Brian Costello, Mike Brophy, Ryan Dixon, Ryan Kennedy, Edward Fraser, Jamie Hodgson et Matt Filion, nos autres collègues de THN, pour toutes leurs suggestions et leur aide.

- Gerald McGroarty, ancien éditeur de THN, pour son leadership et sa passion pour ce projet.

- Jean Paré, l'éditeur de ce livre, pour son enthousiasme et son soutien.

- Arnold Gosewich, qui nous a fait profiter de sa connaissance approfondie d'un secteur qui nous était inconnu : l'édition de livres.

- Nos panélistes Mike Brophy, Brian Burke, Jacques Demers, Jim Devellano, Kevin Paul Dupont, Jason Kay, Harry Neale, Jim Rutherford et Al Strachan, pour leur engagement et leur professionnalisme.

- Nic Chabot de Fantasy Sports, qui a compilé toutes les statistiques après expansion.

- Toute la famille des chroniqueurs, rédacteurs et collaborateurs de *The Hockey News,* dont les excellents textes ont été nos ouvrages de référence.

- Ken Campbell remercie Larry Brooks, qui lui a fourni les citations de Jaromir Jagr dont il avait tellement besoin, sa famille qui l'a toléré quand chaque soir il monopolisait l'ordinateur, et Gino Falzone pour son conseil.

- Adam Proteau remercie Andrew Verner, dont les croquis et les saignements de nez au Maple Leaf Gardens ont consolidé son amour du hockey, et toute sa bande d'amis dégénérés qui l'aident à se moquer de l'existence.

Enfin, nous remercions les joueurs qui ont participé au projet ; ils ont ainsi prouvé qu'ils étaient aussi généreux qu'excellents au hockey.

Avant-propos

Je n'ai malheureusement qu'un vague souvenir de mon père comme joueur de hockey. Ce n'est sans doute pas étranger au fait que les Blackhawks de Chicago ne laissaient jamais entrer les enfants dans le vestiaire.

Par contre, je me souviens très bien du vieux Chicago Stadium. Je me revois gamin, en train de me faufiler pour apercevoir les joueurs de l'équipe adverse s'élancer sur la patinoire. J'étais très impressionné par les géants qu'étaient les Gordie Howe, Jean Béliveau et Bobby Orr, même si quelques heures plus tard je rentrerais à la maison avec l'un des plus grands marqueurs que la LNH ait connus, mon père Bobby Hull.

Le monde du hockey était alors en pleine effervescence. D'un seul coup, la Ligue nationale de hockey avait doublé de volume, passant d'une organisation représentant quelques régions du Canada et des États-Unis à une structure qui englobait aussi la Californie et le Midwest.

J'ai moi-même ressenti tout le poids historique de l'expansion de 1967 lorsque, quelque 20 ans plus tard, j'ai commencé à jouer pour Saint-Louis. Les Blues n'ont peut-être jamais remporté de Coupe Stanley, mais ils ont accueilli de formidables joueurs, notamment Jacques Plante, Doug Harvey, Glenn Hall, Al Arbour, Dickie Moore, Carl Brewer et Scotty Bowman, l'un des plus grands entraîneurs de l'histoire de la LNH. Qui aurait cru à l'époque que les Blues de Saint-Louis deviendraient l'une des équipes les plus respectées de la ligue (sauf pour les dernières saisons)?

Ce qui me frappe également de cette période, c'est la dignité avec laquelle les plus grandes étoiles de la ligue se comportaient alors. Des joueurs comme mon père, Jean Béliveau, Stan Mikita et Phil Esposito étaient solides, vigoureux, impétueux, mais ils étaient aussi de vrais gentlemen. On ne peut pas en dire autant des hockeyeurs aujourd'hui. En 40 ans, l'esprit sportif a lentement disparu, à notre plus grand détriment à tous.

Mon père n'a jamais caché son mépris pour la brutalité. À l'époque où il faisait partie de l'Association mondiale de hockey, il a même refusé de jouer pendant un certain temps pour protester contre ce phénomène grandissant. Je partage tout à fait son sentiment. Je ne parle pas des accrochages – tout le monde sait à quel point je défends le jeu physique – mais bien de l'étonnant manque de respect dont font preuve les joueurs les uns envers les autres. Ce genre d'attitude me fait honte.

On me demande souvent ce que mon père aurait accompli s'il était resté au sein de la LNH au lieu d'entrer dans l'AMH en 1972. Tout d'abord, je suis convaincu qu'il aurait été le plus grand marqueur de la ligue. Ça ne m'étonne pas du tout de le voir figurer dans le présent ouvrage même si, en tout et pour tout, il n'a passé que six saisons dans la LNH. N'oubliez pas qu'il était encore jeune au début des années 70. Il avait compté 50 buts en 1971-72 et en avait enregistré 610 en carrière, soit quelque 200 de moins que les 801 de Gordie Howe. Au rythme où évoluait mon père, il est probable qu'en cinq ou six ans il aurait battu ce record. En fait, je suis sûr qu'il aurait frôlé le millier de buts. Et s'il a toujours été considéré comme un grand joueur, il aurait alors fait l'objet d'une vénération sans borne.

Deuxièmement, les résultats de la Série du siècle de 1972 auraient été très différents si Bobby Hull y avait participé, car c'était le plus fort, le plus rapide et le plus habile des joueurs. Et je peux aussi vous garantir qu'il aurait empêché Bobby Clarke de fracturer la cheville de Valeri Kharlamov, car pour lui la courtoisie était toujours de mise.

D'ailleurs, je ne m'étonne pas de retrouver Wayne Gretzky, le joueur le plus civil qui soit, en tête de liste. J'ai de quoi être fier : j'ai brièvement côtoyé le plus grand et je suis le fils de l'un des plus grands. Rien d'étonnant à ce que je trouve le hockey fantastique.

L'expansion de 1967 a permis à toute une génération de joueurs de reprendre le flambeau des grands de l'Original Six (les six équipes de départ de la LNH) et de faire du hockey le sport qu'il est devenu aujourd'hui. Les 60 joueurs dont il est question dans cet ouvrage méritent d'être célébrés, et c'est un insigne honneur pour moi d'en faire partie.

Bonne lecture !

– Brett Hull
Mai 2007

Table
des matières

LE TOP 60 DEPUIS 1967

Introduction

En 1997, *The Hockey News* faisait sensation en publiant un ouvrage sur les 50 meilleurs joueurs de hockey de tous les temps au sein de la LNH (*The Top 50 NHL Players of All-Time*). Cette liste « définitive » avait été établie grâce au concours d'une cinquantaine d'experts.

Pourquoi bouleverser un ordre aussi parfait 10 ans plus tard ? D'une part, les temps ont changé. D'autre part, le projet actuel est différent.

En 1997, nous étions remontés jusqu'en 1917, année de la fondation de la LNH, pour établir notre palmarès. Nous avions consciencieusement examiné toutes les statistiques et les données historiques pour classer les joueurs anciens et contemporains les uns par rapport aux autres.

À l'approche du 60ᵉ anniversaire de *The Hockeys News,* il nous a semblé qu'il était temps de réviser cette liste, de la mettre à jour et de lui ajouter une touche de modernité. C'est ainsi que nous avons décidé de déterminer quels étaient les 60 meilleurs joueurs depuis 1967.

Pourquoi avoir choisi 1967 comme point de départ ? Pour commencer, 40 ans est une période respectable et un beau chiffre rond. Ensuite, relativement peu de gens connaissent suffisamment le hockey des années 30, 40 et 50 pour recréer le contexte de ces époques. Par ailleurs, 1967 marque un jalon dans l'histoire de la ligue ; c'est l'année de l'expansion, celle où la LNH est passée de 6 à 12 équipes. Et enfin, les choses ont beaucoup évolué au cours des dernières années. Par exemple, Steve Yzerman est devenu une sorte de demi-dieu, Patrick Roy s'est avéré le meilleur gardien de tous les temps et Martin Brodeur a menacé de battre tous les records.

Ces critères posés, nous avons réuni une dizaine d'experts – dont votre humble serviteur – pour établir le nouvel ordre du hockey des 40 dernières années. Voici les membres de ce panel :

• Brian Burke (Directeur général [DG] des Ducks d'Anaheim) ;

• Jacques Demers (personnalité médiatique et ancien entraîneur à la LNH) ;

• Harry Neale (analyste à l'émission *Hockey Night in Canada* et ancien DG et entraîneur à la LNH) ;

• Jim Rutherford (DG des Hurricanes de la Caroline et ancien joueur de la LNH) ;

- Kevin-Paul Dupont (journaliste pour le *Boston Globe* et membre du Temple de la renommée des journalistes sportifs) ;
- Al Strachan (membre du Temple de la renommée des journalistes sportifs) ;
- Mike Brophy (reporter principal, *The Hockey News*) ;
- Ken Campbell (reporter principal, *The Hockey News* et co-auteur du présent ouvrage) ;
- Adam Proteau (chroniqueur en ligne pour thehockeynews.com et co-auteur du présent ouvrage) ;
- Jason Kay (rédacteur en chef, *The Hockey News*).

Ayant à leur disposition toutes les données et statistiques nécessaires pour étayer leurs choix, les panélistes ont procédé par voie de vote. Comme on leur avait recommandé d'exclure les performances antérieures à 1967, les exploits de joueurs tels que Gordie Howe et Bobby Hull donnaient matière à réflexion. Les pages qui suivent reflètent les résultats du vote et présentent un résumé de la carrière de chaque joueur choisi.

En tant que panéliste, j'ai trouvé cet exercice exigeant. Le plus difficile n'était pas de comparer les joueurs de différentes époques, mais bien les différentes positions. Comment classer Dominik Hasek, qui a remporté six trophées Vézina (meilleur gardien de but de la ligue) et deux trophées Hart (joueur le plus utile), par rapport à Joe Sakic, qui a obtenu l'inégalable Conn Smythe en plus du Hart ?

Et comment fait-on entrer le facteur « Coupe Stanley » dans l'équation ? Marcel Dionne n'a jamais pu faire graver son nom sur ce fameux trophée, mais il n'en demeure pas moins le cinquième meilleur marqueur de tous les temps. Comment le classer par rapport à Ron Francis, qui arrive quatrième au chapitre des points cumulés et qui a remporté les séries éliminatoires à deux reprises ?

Et comment tient-on compte des sélections pour les Matchs des étoiles ? Luc Robitaille a été choisi à huit reprises, soit sept fois de plus que Yzerman. Mais cela s'explique en partie par le fait que ce dernier est de la même génération que Wayne Gretzky et Mario Lemieux, dont les nombreux moments de gloire lui ont porté ombrage. D'un autre côté, on compte peu d'ailiers gauches aussi performants que Robitaille.

Et qui, de Wayne Gretzky ou de Bobby Orr, est le plus grand ? Lisez les deux premiers chapitres pour connaître notre décision.

Nous espérons que vous apprécierez les arguments présentés par les auteurs Ken Campbell et Adam Proteau. Vous ne serez pas toujours d'accord avec eux, vous hocherez parfois la tête ou lèverez les yeux au ciel. Mais l'opiniâtreté est ce qui fait des fans de hockey une espèce à part. Nous sommes passionnés par ce sport et nous ne craignons pas les affrontements sinon physiques, du moins verbaux.

Que le débat commence !

– Jason Kay
Rédacteur en chef, *The Hockey News*

Le
TOP 60
depuis 1967

1

Wayne Gretzky

Le plus grand

On ne compte plus les records qu'a battus Wayne Gretzky et les prix qu'il a gagnés. Mais on prend vraiment la juste mesure de son talent lorsqu'on sait qu'à chaque match il devait affronter l'élite de l'équipe adverse.

« Les fans voyaient les Oilers affronter les Bruins de Boston ou les Islanders de New York, mais en réalité, je jouais toujours contre les mêmes cinq ou six gars », rapporte celui que *The Hockey News* a choisi comme le meilleur joueur de tous les temps, ères post et pré expansion comprises.

« Si on jouait contre les Islanders, par exemple, je savais que je ne pourrais pas éviter Denis Potvin. Même chose contre Calgary. Que ce soit en saison régulière ou pendant les séries, je me retrouvais toujours face au même commando.

> « **Mais une fois installés à Calgary, on a compris qu'une dynastie était en train de se former à 260 km au nord. Gretzky et les Oilers, ç'a été notre cauchemar.** »
>
> **– Cliff Fletcher**

« Au bout d'un certain temps, tu finis par connaître les tendances des joueurs. C'est l'aspect du jeu que j'aimais le plus. »

Nous pourrions consacrer un livre entier aux jalons qui ont ponctué les 20 ans de carrière de Gretzky au sein de la LNH. Soulignons-en plutôt les faits saillants :

Le détenteur du plus grand nombre de buts (894) et de points (2 857) de la LNH a remporté neuf trophées Hart, dont huit d'affilée (1980-87), en tant que joueur le plus utile, deux trophées Conn Smythe en tant que joueur le plus utile pendant les séries éliminatoires (1985, 1988), une dizaine de prix pour les buts qu'il a marqués, cinq trophées Lady Byng pour son esprit sportif et quatre Coupes Stanley en tant que capitaine des Oilers d'Edmonton.

Le natif de Brantford, en Ontario, a beau avoir cumulé les marques de reconnaissance personnelle, pour lui, rien n'égale la Coupe. « Wayne voulait être au même niveau que les Gordie Howe, Guy Lafleur, Mike Bossy et Bryan Trottier, raconte Paul Coffey, son coéquipier des Oilers. Quand les Islanders nous ont battus en 1983, il m'a dit qu'il devait remporter la Coupe Stanley pour qu'on se souvienne de lui comme d'un grand joueur. Il avait tout à fait raison. »

« Dès mon plus jeune âge, j'ai su que je voulais gagner, reprend Gretzky. Quand on me félicitait parce que mon équipe était arrivée deuxième à un tournoi, je pensais à ce que mon père me répétait continuellement : pour devenir un sportif professionnel, il ne fallait pas que je me contente d'une deuxième place, mais bien que je gagne.

« À mes débuts dans la LNH, j'étais convaincu qu'un joueur n'avait rien accompli tant qu'il n'avait pas remporté le championnat de la Coupe Stanley. Il y avait moins d'équipes à l'époque et la pression était très forte dans les médias. On était un champion ou rien. Avec Coffey, (Mark) Messier, (Grant) Fuhr, on était tous très conscients de ça. »

Cliff Fletcher, le directeur général des Flames pendant les années 80, a vite vu de quel bois se chauffait le numéro 99 des Oilers :

« Au moment où les Oilers entamaient leur deuxième année au sein de la LNH, se rappelle-t-il, les Flames étaient encore à Atlanta. Mais une fois installés à Calgary, on a compris qu'une dynastie était en train de se former à 260 km au nord. Gretzky et les Oilers, ça a été notre cauchemar.

« Tout le monde se pâmait, avec raison, devant le talent de Wayne. Mais avec sa nature calme et sa voix douce, on oubliait à quel point il était compétitif. C'est aussi cet aspect de sa personnalité qui a fait de lui un si grand joueur.

« J'ai rarement vu un sportif doté d'un esprit de compétition aussi fort. Mais il fallait bien le connaître pour s'en rendre compte. Il refusait tout simplement de perdre. Pratiquement rien ne pouvait lui résister, surtout à l'époque glorieuse des Oilers. »

Gretzky est resté à Edmonton jusqu'en 1988, année où il s'est joint aux Kings de Los Angeles, dans le cadre d'un échange qui a secoué le monde du hockey. Il se réjouit d'avoir joué pour les Oilers à l'époque où l'équipe était à son meilleur.

« J'ai eu la chance d'avoir Glen (Sather), John Muckler et Teddy Green comme entraîneurs, dit-il. Ils savaient ce qu'il fallait faire pour gagner contre telle ou telle équipe et tel ou tel joueur ; il suffisait de les écouter. Bien sûr, ça a été difficile pour moi de quitter Edmonton. C'est par là que je suis entré dans la LNH et c'est avec les Oilers que j'ai joué certaines de mes meilleures parties. Mais les choses n'évoluent pas toujours comme on veut. C'était le temps de m'en aller. »

Avec les Kings, Gretzky a continué de compter des buts au rythme époustouflant qui avait fait sa marque jusque-là, mais en 1992-93, il a manqué à l'appel près d'une fois sur deux en raison de maux de dos. Malheureusement pour les fans des Maple Leafs (et pour Fletcher, qui les dirigeait à l'époque), le numéro 99 s'est rétabli juste à temps pour terminer la saison et rafler le championnat de la Conférence de l'Ouest (et une finale contre les Canadiens).

« En 1993, dit Fletcher, on menait la demi-finale 3 à 2. Le sixième match allait avoir lieu à L.A., et je me souviens qu'un journaliste s'était demandé si Wayne avait encore le feu au ventre. Pat Burns (entraîneur des Leafs) et moi, on s'est dit que ça n'augurait rien de bon. « À mon avis, les sixième et septième parties sont les meilleures que Gretzky a jamais jouées. Il a remporté cette série à lui seul. »

Wayne Gretzky, centre
Né le 26 janvier 1961

Carrière au sein de la LNH :	1979-99
Équipes :	Edmonton, Los Angeles, Saint-Louis, Rangers de NY
Fiche (saisons régulières) :	894 buts, 1 963 passes, 2 857 points en 1 487 matchs
Fiche (séries éliminatoires) :	122 buts, 260 passes, 382 points en 208 matchs
Trophées :	
• Art Ross	10 (1981, 1982, 1983, 1984, 1985, 1986, 1987, 1990, 1991, 1994)
• Conn Smythe	2 (1985, 1988)
• Hart	9 (1980, 1981, 1982, 1983, 1984, 1985, 1986, 1987, 1989)
• Lady Byng	5 (1980, 1991, 1992, 1994, 1999)
• Pearson	5 (1982, 1983, 1984, 1985, 1987)
Nominations – 1re équipe d'étoiles :	8 (1981, 1982, 1983, 1984, 1985, 1986, 1987, 1991)
Nominations – 2e équipe d'étoiles :	7 (1980, 1988, 1989, 1990, 1994, 1997, 1998)
Coupes Stanley :	4
Ce qu'on dira de lui :	C'était le plus grand joueur.

Gretzky a passé près de huit saisons avec les Kings de Los Angeles. C'est au sein de cette équipe qu'il a battu le record de buts et de points de Gordie Howe. Puis, il a terminé sa carrière avec les Rangers de New York après un bref passage par Saint-Louis en 1995-96 (le temps de 18 parties). Peu importe les couleurs qu'il défendait, il se tenait toujours dans le même coin de la patinoire.

« J'étais derrière le filet 95 % du temps, dit Gretzky. C'était ma marque de commerce, et mes coéquipiers s'arrangeaient pour que la rondelle se retrouve là. C'est un peu grâce à Glen que j'ai pu pleinement exploiter cette stratégie, car il a été l'un des premiers entraîneurs à nous faire nous entraîner en formation de cinq ; (Esa) Tikkanen, (Jari) Kurri, Paul Coffey, Charlie Huddy et moi, on jouait toujours ensemble, et on a pu perfectionner notre jeu.

« De plus, je savais toujours où se trouvait le joueur qui me suivait. Paul Coffey ou Jari Kurri avaient l'air de surgir de nulle part, mais je les avais vus et j'arrivais à leur faire une passe juste au bon moment. »

Gretzky considère sa première Coupe Stanley comme sa plus belle récompense, plus valorisante que la Coupe Canada ou que tout autre honneur individuel. « La première fois que tu soulèves la Coupe, ça te procure un sentiment incomparable, dit-il. Ça parle de ta carrière, de tes coéquipiers, de ta volonté de gagner. Ce n'est pas facile de remporter ce championnat.

« Comme Bryan Trottier l'a dit un jour, on souhaite à tous les joueurs de connaître l'effet que ça fait de gagner la Coupe Stanley, mais en même temps, c'est justement parce que peu de joueurs réussissent à voir leur nom gravé sur ce trophée qu'il est si spécial. »

L'année 1999 a été bien remplie pour Gretzky : il a pris sa retraite, il est passé du côté de la gestion et il a été admis au Temple de la renommée. De son propre aveu, il aurait continué à jouer s'il avait été capable de combattre les effets du temps aussi efficacement que ses adversaires sur patins.

« J'aimais tous les aspects du hockey, dit Gretzky. Ç'a été mon univers dès l'âge de deux ans. En mon âme et conscience, j'ai toujours fait mon possible et je me suis toujours préparé du mieux que j'ai pu. « J'aurais souhaité remporter plus de championnats, mais je suis fier de ce que j'ai accompli durant ma carrière. Honnêtement, je ne regrette rien. »

– Adam Proteau

2

Bobby Orr

Le plus attaquant des défenseurs

Bobby Orr a entrepris sa courte mais brillante carrière au sein de la LNH l'année de l'expansion. Dès sa première saison, il s'est vu remettre le trophée Norris, qu'il a conservé pendant huit ans. On ne le savait pas encore, mais on se souviendrait de lui comme du meilleur défenseur de toute l'histoire du hockey.

Mais avant même que Orr n'entame sa deuxième année dans la ligue, il s'était gravement blessé au genou gauche et avait subi la première d'une série de huit opérations. Sa deuxième intervention quelques mois plus tard a d'ailleurs écourté sa saison 1967-68 à 46 matchs. Il est toutefois revenu en force en 1969 pour offrir une performance qui a redéfini la position de défenseur. Cette année-là, il a inscrit plus de 100 points à sa fiche, un exploit qu'il a répété les cinq saisons suivantes. Malheureusement, l'état déplorable de ses articulations a fini par avoir raison de sa carrière, causant une lourde perte pour le monde du hockey.

Les recruteurs évoquent souvent Wayne Gretzky ou Mario Lemieux pour décrire les qualités de leurs meilleurs jeunes joueurs. Ce faisant, ils mettent les deux centres vétérans sur un pied d'égalité. Rien de tel avec Bobby Orr. Il était incomparable. Encore aujourd'hui, 30 ans après sa retraite anticipée, il éclipse tous les défenseurs. « En fait, Orr était trop bon pour nous », a dit un jour Bobby Clarke, le capitaine des Flyers de Philadelphie.

Le principal intéressé ne voit pas les choses ainsi. Avec sa réserve habituelle, Orr soutient qu'il n'y avait rien de surnaturel dans son jeu. Il veut bien admettre qu'il avait du talent, mais pas au point de faire l'objet d'une telle vénération.

> **« En fait, Orr était trop bon pour nous. »**
>
> **– Bobby Clarke**

Pourtant, il devait bien se rendre compte qu'il surpassait tout le monde à la LNH ! « Je ne vois pas de quoi vous parlez, rétorque-t-il. En jouant dans la ligue, j'ai réalisé mon rêve et c'est tout ce qui comptait pour moi. Bien entendu, j'étais ravi de battre des records et flatté par les commentaires élogieux, mais l'essentiel reste que je pratiquais un sport que j'adorais. Quand je suis arrivé à Boston, les gars m'ont très bien reçu. Ils n'étaient pas obligés. Ils auraient très bien pu maltraiter la nouvelle recrue dont ils n'arrêtaient pas d'entendre parler. Au contraire, ils ont été très accueillants. C'était génial ! »

Pendant la plus grande partie de sa carrière, Orr a été porté aux nues par ses coéquipiers, ses adversaires, les médias et les amateurs, ce qui l'a toujours mis mal à l'aise. Son agent Alan Eagelson disait qu'il avait le cœur sur la main. Quoique extrêmement généreux, Orr tenait plus que tout à préserver sa vie privée et gardait ses distances avec son entourage. Après son passage chez les Blackhawks de Chicago et un mandat au siège social de la LNH qui a mal tourné, il s'est retiré du monde du hockey pendant une dizaine d'années avant de refaire surface comme agent.

« Je ne suis pas un personnage haut en couleur, déclarait Orr en 1974. Je ne suis pas un fêtard, je ne cherche pas les ennuis, je m'occupe de mes affaires et je tiens à ma vie privée. De toute façon, je suis en représentation chaque fois que j'enfile mes patins, et je me donne complètement à chaque match. C'est tout ce qui devrait compter pour les gens. Le reste ne regarde que moi-même. On fait trop grand cas de moi. Je joue bien, mais je suis loin de la perfection. En tant qu'individu, je n'ai rien de spécial. »

Au début de sa carrière, Bobby Orr craignait même de donner le mauvais exemple aux jeunes. Comme ils cherchaient trop à l'imiter, ils finiraient par n'adopter qu'un seul style de jeu défensif. Si lui-même avait une nette propension à s'emparer de la rondelle pour attaquer, expliquait-il, c'était parce qu'on lui disait de jouer ainsi, parce c'était la stratégie la plus utile à son équipe. Mais s'il perdait la rondelle en cours de jeu, ce patineur hors pair avait assez de jugeote pour revenir rapidement à sa position.

Bobby Orr, défenseur*
Né le 20 mars 1948

Carrière au sein de la LNH :	1966-79
Équipes :	Boston, Chicago
Fiche (saisons régulières) :	257 buts, 617 passes, 874 points en 657 matchs
Fiche (séries éliminatoires) :	26 buts, 66 passes, 92 points en 74 matchs
Trophées :	
• Art Ross	2 (1970, 1975)
• Conn Smythe	2 (1970, 1972)
• Hart	3 (1970, 1971, 1972)
• Norris	8 (1968, 1969, 1970, 1971, 1972, 1973, 1974, 1975)
• Pearson	1 (1975)
Nominations – 1re équipe d'étoiles :	8 (1968, 1969, 1970, 1971, 1972, 1973, 1974, 1975)
Nominations – 2e équipe d'étoiles :	0
Coupes Stanley :	2
Ce qu'on dira de lui :	C'était le meilleur défenseur de la LNH ; il a changé la conception du hockey.

Ces statistiques ne tiennent pas compte de la période précédant l'expansion.

C'est à partir de son plus jeune âge que Orr a développé les tactiques qui ont fait de lui un joueur complet. Sur la rivière Seguin, à Parry Sound, en Ontario, il n'y avait pas de bandes pour faire rebondir la rondelle ni d'entraîneur pour réprimer la créativité du jeune défenseur. « En réalité, dit-il, je n'ai vraiment jamais joué défensivement parce que je n'aimais pas attendre sans rien faire. Je n'ai jamais su comment. »

Au sein de la LNH, les adversaires de Orr ne perdaient pas de temps à essayer de tirer avantage de son jeu défensif. Ils étaient bien trop préoccupés par ses attaques. Red Kelly, entraîneur des Penguins de Pittsburgh au début des années 70, lui-même ancien défenseur et titulaire du trophée Norris, a décrit le style de Orr en ces termes : « Remarquable ! On n'arrête pas de me parler des faiblesses de son jeu défensif. Allons donc ! Quand il est sur la patinoire, il a la rondelle 95 % du temps. C'est la défense idéale ! »

Après 10 prodigieuses saisons et 2 Coupes Stanley avec les Bruins de Boston, Orr a signé un contrat de 3 millions de dollars avec les Blackhawks de Chicago. Il venait alors de vivre un divorce très médiatisé qui l'avait laissé amer. Comme son genou était alors en très mauvais état, Arthur Wirtz, le propriétaire des Blackhawks, a admis qu'il prenait un risque, mais que le jeu en valait la chandelle. Si Orr n'a joué que 26 matchs pour Chicago, il a tout de même été élu joueur le plus utile lors du championnat de la Coupe Canada de 1976.

« J'ai eu la chance d'avoir assez de talent pour pratiquer avec passion un sport que j'adorais », a dit Orr pour résumer sa carrière.

– Ken Campbell

3

Mario Lemieux

Le sauveur de Pittsburgh

Dire que Mario Lemieux est une légende vivante est un cliché. C'est déjà moins banal d'affirmer que peu de joueurs aussi illustres ont encaissé autant de coups que lui – au propre comme au figuré.

On a toujours eu quelque chose à reprocher à Lemieux : son nationalisme, son manque de nationalisme, ses relations d'affaires avec les Penguins de Pittsburgh, son jeu, etc. Chaque fois, le joueur a été obligé de se défendre.

Croyez-le ou non, mais après avoir battu tous les records de la LHJMQ, accumulé 282 points en une seule saison, compté des points pendant 62 matchs consécutifs et conduit pratiquement à lui seul les Voisins de Laval au championnat de la Coupe Memorial, Lemieux, le centre sélectionné par les Penguins de Pittsburgh au premier rang du repêchage de 1984, a été sommé de justifier sa stratégie de défense. C'est comme si on avait demandé à Tchaïkovski d'expliquer pourquoi il était moyen aux échecs.

« Je ne pense pas que le club me voie comme défenseur, avait dit Lemieux. Je crois qu'on veut surtout que je compte des buts et que je contribue à marquer le plus de points possible. » Et il a très bien rempli ce mandat. Il a marqué son premier point pour les Penguins lors de sa première apparition sur la glace et, surtout, lors de son premier tir au but. Il a terminé la saison 1984-85 avec 100 points, dont 43 buts. Lauréat du trophée Calder, il est la seule recrue de la LNH à avoir été élue joueur le plus utile dans un Match des étoiles.

L'année suivante, Lemieux a enregistré 141 points, dont 93 passes, se classant ainsi tout juste derrière Wayne Gretzky. Ses pairs l'ont élu meilleur joueur de la LNH, ce qui lui a valu le trophée Pearson.

Son éblouissante carrière ne faisait que commencer. En 1987-88, Lemieux a arraché le trophée Hart à Gretzky qui le détenait depuis 7 ans, tandis que l'année suivante, il a battu ses propres records en accumulant 199 points, dont 85 buts et 114 passes.

Ce joueur remarquable s'est aussi brillamment distingué sur la scène internationale. Lors du championnat de la Coupe Canada de 1987, il a marqué 11 buts en 9 matchs (un record), dont celui qui a permis aux Canadiens de remporter le championnat, sur une passe de nul autre que Wayne Gretzky.

Lemieux, c'était 1,95 m et 107 kg de talent, un gabarit parfait. Tous les gardiens de but vous le diront. « Il avait tout pour lui, dit Dominik Hasek. Quand on jouait contre les Penguins, je disais à mes coéquipiers de s'occuper de Mario. Les autres, je pouvais m'en charger, mais lui, je tenais à ce qu'ils le surveillent. »

Mais comme les Penguins ne se sont pas rendus aux éliminatoires avant 1988-89, on a continué à remettre en question les agissements et le comportement de Lemieux. Pourquoi ne représentait-il pas le Canada dans des événements internationaux moins connus comme le Championnat du monde de hockey sur glace ? Son calme et sa réserve sur la glace dénotaient-ils un manque de passion pour le jeu ?

Lemieux a fini par clouer le bec à tout le monde en remportant la Coupe Stanley en 1991 et en 1992. « La première année, j'ai vraiment été ému de voir mon nom sur la Coupe, a dit Lemieux lorsqu'il a été intronisé au Temple de la renommée. C'est le rêve de tous les petits Canadiens. Je ne faisais pas exception. Je voulais être comme Guy Lafleur, mon idole. »

> « Quand on jouait contre les Penguins, je disais à mes coéquipier de s'occuper de Mario. Les autres, je pouvais m'en charger, mais lui, je tenais à ce qu'ils le surveillent. »
>
> – Dominik Hasek

Ces deux années-là, Lemieux a également gagné le trophée Conn Smythe, ce qui tend à démontrer qu'après tout il avait raison de garder son calme.

Mais son épreuve la plus difficile, c'est en dehors de la patinoire que Lemieux l'a vécue. Au milieu de la saison 1992-93, il a appris qu'il souffrait d'un cancer. À cela s'ajoutaient des maux de dos chroniques, que n'arrangeaient pas les assauts constants de ses adversaires. Après s'être souvent absenté en 1993-94, il s'est complètement retiré du jeu la saison suivante pour se refaire une santé.

Lemieux est revenu en force en 1995-96. Cette année-là et la suivante, il a respective-ment accumulé 161 points (dont 69 buts) et 122 points. Puis, en 1997, il a annoncé qu'il prenait sa retraite. On l'a admis immédiatement au Temple de la renommée, alors qu'en temps normal, un délai de trois ans est nécessaire.

Mais Lemieux n'en avait pas fini avec le hockey. Au moment où il quittait le hockey, les affaires financières des Penguins allaient très mal. À l'instar de quelques autres joueurs étoiles, il a alors accepté de reporter son salaire. Et lorsque les propriétaires ont été acculés à la faillite, Lemieux a racheté le club dans une ultime tentative pour ranimer l'équipe et récupérer son dû.

Sous son règne, le club a laissé aller les joueurs qui coûtaient le plus cher. En même temps, les fans se faisaient de plus en plus rares dans le vieil aréna. Mais grâce à ses multiples talents, Lemieux a su retourner la situation.

En décembre 2000, Lemieux a de nouveau enfilé son chandail des Penguins pour jouer contre les Maple Leafs de Toronto. Il n'a eu besoin que de 33 secondes pour faire une passe qui a permis de marquer un point. Il a terminé la saison avec 76 points en 43 matchs, et a permis à son équipe de se rendre aux finales de la Conférence de l'Est. Il n'avait aucunement perdu la main. Il lui restait toutefois un rêve à réaliser : remporter la médaille d'or pour le Canada aux Jeux olympiques d'hiver de 2002.

Le soir de son arrivée à Salt Lake City, Lemieux a confié à un reporter qu'il s'était ménagé au cours des semaines précédentes en vue de la mission qu'il s'apprêtait à accomplir pour son pays. « Ma priorité, cette année, c'est de remporter une médaille d'or aux Olympiques », a-t-il dit.

Cette déclaration a déclenché toute une controverse. Certains partisans des Penguins estimaient que Lemieux avait négligé ses responsabilités envers l'équipe au profit d'un nationalisme mal placé. Et dire que jadis, on lui avait reproché exactement le contraire.

Faisant fi des critiques, Lemieux a permis au Canada de remporter la médaille d'or, en enregistrant six points, dont deux buts, en quatre matchs. « On m'a beaucoup blâmé ces dernières semaines, mais le jeu en valait la chandelle, a déclaré Lemieux. Participer aux Olympiques, c'est une occasion unique de faire quelque chose de grandiose pour son pays. »

Lorsqu'il a pris sa retraite pour de bon en janvier 2006, Lemieux avait participé à 915 matchs en 17 saisons, enregistré 1 723 points, dont 690 buts et 1 033 passes, sauvé un club et contribué à lui donner un nouvel aréna.

« On ne peut pas plaire à tout le monde, a dit Lemieux dans une entrevue qu'il a accordée à *The Hockey News* en 2001. Peu importe ce que je ferai, il se trouvera toujours des gens pour me critiquer et d'autres pour m'approuver. Mais ce qui compte pour moi, c'est que mes proches me comprennent et appuient mes décisions. »

– AP

Mario Lemieux, centre
Né le 5 octobre 1965

Carrière au sein de la LNH :	1984-97, 2000-06
Équipes :	Pittsburgh
Fiche (saisons régulières) :	690 buts, 1 033 passes, 1 723 points en 915 matchs
Fiche (séries éliminatoires) :	76 buts, 96 passes, 172 points en 107 matchs
Trophées :	
• Art Ross	6 (1988, 1989, 1992, 1993, 1996, 1997)
• Calder	1 (1985)
• Conn Smythe	2 (1991, 1992)
• Hart	3 (1988, 1993, 1996)
• Masterton	1 (1993)
• Pearson	4 (1986, 1988, 1993, 1996)
Nominations – 1re équipe d'étoiles :	5 (1988, 1989, 1993, 1996, 1997)
Nominations – 2e équipe d'étoiles :	4 (1986, 1987, 1992, 2001)
Coupes Stanley :	2
Ce qu'on dira de lui :	Cette super étoile au talent prodigieux a sauvé les Penguins de Pittsburgh à plus d'un titre.

4

Mark Messier

Le Messie

On dit qu'il existe deux types de leaders : les chefs nés et ceux qui apprennent à le devenir. Mark Messier fait mentir la sagesse populaire, car il appartient aux deux catégories.

Ses qualités de leader, Mark les tient d'abord de son père, un diplômé universitaire doublé d'un redoutable défenseur pour les Buckaroos de Portland. Dans les années 60, Doug Messier a contribué à mettre sur pied une association de joueurs au sein d'une ligue professionnelle de l'Ouest. Mark Messier a ensuite peaufiné son leadership avec son deuxième père, Glen Sather, avec Wayne Gretzky et avec tous les joueurs qu'il a côtoyés.

Qu'elle soit innée ou acquise, l'influence que ce joueur a exercée dans le monde du hockey est considérable et incontestable. Et n'oublions pas qu'il savait jouer également. Seul Messier a été sélectionné dans une Équipe des étoiles pour deux positions (ailier gauche et centre) et a dirigé deux équipes qui ont remporté la Coupe Stanley.

> « J'ai toujours essayé de découvrir ce qui motivait les gens et ce que je pourrais faire pour les aider à développer pleinement leur potentiel. »
>
> **– Mark Messier**

« Je ne crois pas aux leaders nés, dit Messier. Tu ne deviens pas un bon leader sans être entouré de gens qui t'apprennent à l'être. » On aurait tort de remettre sa conception en doute, car il doit s'y connaître. Après tout, on a créé le trophée Mark Messier pour honorer le leadership d'un joueur.

Comment Messier s'y prenait-il pour exercer son autorité sur ses coéquipiers ? En établissant des liens avec chacun d'eux et en traitant les vedettes, les joueurs de quatrième ligne et les hommes de main sur un pied d'égalité.

Messier était bien placé pour les comprendre, car lui-même n'a pas toujours été un joueur étoile féru de sagesse. Pendant sa première saison au sein de l'Association mondiale de hockey, alors âgé de 17 ans, il n'a compté qu'un seul but. Comme tout autre jeune joueur, il a fait des erreurs de jugement. Lors de sa première saison à la LNH en 1979-80, il a dû reprendre le chemin de la ligue mineure le temps de quatre matchs parce qu'il s'était présenté au mauvais aéroport pour se rendre à Saint-Louis. Il lui arrivait aussi d'être en retard aux pratiques et de ne pas toujours faire son possible.

« Je pense que Mark serait un excellent joueur s'il apprenait à être à l'heure et à se discipliner, a dit Sather au début des années 80. Le hockey doit devenir sa priorité, et il devra faire des sacrifices. »

Messier a compris. Quelque 25 ans plus tard, il remercie Sather de ne pas avoir imposé ses vues aux jeunes joueurs, mais de les avoir laissés tirer leurs propres leçons.

Mark Messier, centre
Né le 18 janvier 1961

Carrière au sein de la LNH :	1979-2004
Équipes :	Edmonton, Rangers de NY, Vancouver
Fiche (saisons régulières) :	694 buts, 1193 passes, 1 887 points en 1 756 matchs
Fiche (séries éliminatoires) :	109 buts, 186 passes, 295 points en 236 matchs
Trophées :	
• Hart	2 (1990, 1992)
• Conn Smythe	1 (1984)
• Pearson	2 (1990, 1992)
Nominations – 1re équipe d'étoiles :	4 (1982, 1983, 1990, 1992)
Nominations – 2e équipe d'étoiles :	1 (1984)
Coupes Stanley :	6
Ce qu'on dira de lui :	Sans doute le meilleur leader de toute l'histoire du sport professionnel.

« Je pense qu'il faut permettre à un jeune de 18 ans de se comporter comme un jeune de 18 ans, dit Messier. Tu ne peux pas le forcer à être un leader avant qu'il ne soit prêt à assumer ce rôle. Il faut lui permettre de grandir et d'acquérir de la maturité. Ça signifie entre autres qu'il faut le laisser faire des erreurs et apprendre de ses erreurs. C'est ce que faisait Glen et c'est pour cette raison que c'était un coach formidable. Il était très exigeant, mais il croyait en nous. »

Peu à peu, Messier est devenu le moteur des Oilers d'Edmonton. Il avait tellement de charisme qu'il a fini par être surnommé « le Messie », un surnom qui l'a suivi lorsqu'il a été échangé contre les Rangers de New York en 1991. Et comme l'autre Messie, il a mené ses disciples vers la Terre promise : le championnat de la Coupe Stanley. En 1994, les Rangers ont remporté leur première Coupe en 54 ans !

À New York, Messier a pris toutes sortes de mesures pour s'assurer que ses coéquipiers se présentaient aux séances d'entraînement. Ainsi, bien avant que la technologie ne soit à la portée de tous, il leur a acheté chacun un téléphone cellulaire afin qu'ils puissent le rejoindre en tout temps s'ils avaient des ennuis ou qu'ils appellent un taxi s'ils n'étaient pas en état de conduire pour rentrer à la maison.

Mais Messier n'avait pas l'intention de clouer les joueurs moins performants au pilori. Il a fait preuve de beaucoup plus de subtilité. « J'ai toujours mis l'accent sur les relations interpersonnelles, dit-il. J'ai toujours essayé de découvrir ce qui motivait les gens et ce que je pourrais faire pour les aider à développer pleinement leur potentiel. Ça ne sert à rien de blesser et de rabaisser un gars. Il faut plutôt bâtir une confiance qui te permettra d'être honnête avec lui, de lui dire ce que tu penses sans qu'il croie que tu lui en veux. Il doit comprendre que c'est pour son bien et celui de l'équipe. »

On ne compte plus les exemples qui témoignent du franc-parler de Messier. L'un des plus éloquents a eu lieu en 1987, lors de la série des Rendez-Vous de Québec. « Messier est arrivé dans un vestiaire plein de superstars de la LNH juste avant la période d'échauffement, se rappelle Rod Langway. Je ne pense pas qu'il avait dit un mot à qui que ce soit jusque-là. Puis, il a regardé Grant Fuhr et a dit : 'Voilà ce qu'on va faire pour l'exercice d'avant-match : toi, tu vas être le gardien partant. OK ?' Fuhr a juste hoché la tête. Messier a ensuite jeté un regard à la ronde et a demandé s'il y avait des objections. Je n'ai pas dit un mot. Je tremblais comme une feuille. »

Messier était aussi redouté par ses adversaires. Son caractère belliqueux et ses coups de coude sont légendaires ; il a été suspendu à deux reprises pour coups de bâton déloyaux. Mais c'est son jeu et son leadership qui lui ont permis d'entrer au Temple de la renommée.

« J'étais déçu chaque fois que mon équipe ratait la Coupe Stanley, dit-il. Je le prenais comme un échec personnel. On a dû faire beaucoup d'efforts et surmonter beaucoup d'embûches pour réussir. Mais, sauf pour quelques saisons, ç'a assez bien marché. »

– KC

5

Patrick Roy

Le roi du filet

Tout au long de son incroyable carrière au sein de la LNH, Patrick Roy, quadruple récipiendaire de la Coupe Stanley, a toujours su qu'il était mal compris. Sa volonté de gagner n'en a été que plus grande. « Ç'a toujours été mon meilleur atout sur la patinoire, dit-il. Certains trouvaient mon attitude arrogante, mais moi, je ne m'occupais pas de ce que les autres pensaient. Je faisais tout ce qu'il fallait pour gagner. C'était tout ce qui comptait pour moi. »

Roy est né et a grandi à Québec. En 1984, ce fan des Nordiques a été repêché en troisième ronde (51e au total) par les Canadiens de Montréal, ennemis jurés du club québécois. Il a commencé la saison 1985-86 comme remplaçant du gardien de but partant, Steve Penney, qui était blessé, et l'a terminée en remportant le trophée Conn Smythe. À ce jour, il est le plus jeune titulaire de ce prix. Pas mal pour quelqu'un qui n'avait pas encore célébré son 21e anniversaire de naissance.

« Cette année-là, je réalisais un rêve chaque fois que j'entrais sur la patinoire », se rappelle Roy, qui a abasourdi la LNH avec une prodigieuse performance lors des séries éliminatoires de 1986 : 15 victoires, 5 défaites et une moyenne des buts alloués de 1,92. « C'est drôle, reprend-il, un jour que j'étais en avion, je me suis surpris à penser que 12 mois plus tôt, j'étais à l'école en train de faire des maths. »

> « Ma volonté de gagner a toujours été mon meilleur atout sur la patinoire. »
>
> **– Patrick Roy**

Surnommé Saint-Patrick par les fans des Canadiens, Roy est rapidement devenu le joueur le plus important de l'équipe. En 1988-89, ses 33 victoires, 5 défaites et 6 matchs nuls lui ont valu le premier de ses 3 trophées Vézina.

« Dès le début, mon ambition a été d'être constant, dit Patrick Roy. Je ne voulais pas avoir une carrière en dents de scie. » Et il a atteint son but notamment en se reposant entre les saisons. « Je n'aimais pas trop m'entraîner pendant l'été, poursuit-il. J'avais plutôt envie de me changer les idées. De cette façon, j'arrivais reposé autant physiquement que mentalement au camp d'entraînement, prêt à reprendre le boulot. »

Roy a remporté son deuxième trophée Vézina en 1990, son troisième en 1992, et sa deuxième Coupe Stanley ainsi que son deuxième trophée Conn Smythe en 1993. Pendant ces éliminatoires, il a enregistré 11 victoires consécutives, dont une dizaine en prolongation, une performance qui a fait de lui une véritable légende.

Patrick Roy, gardien de but
Né le 5 octobre 1965

Carrière au sein de la LNH :	1985-2003
Équipes :	Montréal, Colorado
Fiche (saisons régulières) :	551 victoires, 315 défaites, 151 matchs nuls ; moyenne des buts alloués de 2,53 ; 66 blanchissages en 1 029 matchs
Fiche (séries éliminatoires) :	151 victoires et 94 défaites ; moyenne des buts alloués de 2,30 ; 23 blanchissages en 247 matchs.
Trophées :	
• Conn Smythe	3 (1986, 1993, 2001)
• Jennings	5 (1987, 1988, 1989, 1992, 2001)
• Vézina	3 (1989, 1990, 1992)
Nominations – 1re équipe d'étoiles :	4 (1989, 1990, 1992, 2002)
Nominations – 2e équipe d'étoiles :	2 (1988, 1991)
Coupes Stanley :	4
Ce qu'on dira de lui :	Le gardien de but ayant remporté le plus de matchs dans l'histoire de la LNH.

Toutefois, le roi du filet n'avait pas juré allégeance à vie aux Canadiens de Montréal. Son histoire d'amour avec le Tricolore a pris fin le 2 décembre 1995, au Forum de Montréal, lors d'un incident tristement célèbre. Ce soir-là, l'entraîneur Mario Tremblay, avec qui Roy n'était pas dans les meilleurs termes (c'est le moins qu'on puisse dire), n'a permis au gardien de se retirer qu'au milieu de la deuxième période, après une enfilade de 9 buts marqués par Detroit. Roy fulminait lorsqu'il est sorti de la patinoire. Il est passé devant Ronald Corey, le président du club assis juste derrière le banc des joueurs, et lui a lancé que c'était son dernier match pour Montréal. Ce soir-là, Detroit a raflé la victoire par 11 contre 1. Trois jours plus tard, Patrick Roy était échangé contre Mike Keane, Jocelyn Thibault et Andrei Kovalenko du Colorado. Cette transaction a changé le destin de Roy, amélioré les perspectives de l'Avalanche et compromis celles du Tricolore.

« C'est sûr que ça n'a pas été facile, se rappelle Roy. J'ai adoré jouer pour Montréal et j'ai trouvé la fin de mon mandat assez pénible. Par contre, j'ai eu l'occasion de ramener le hockey au Colorado. Tous les joueurs voulaient vraiment gagner et, dès le départ, on a formé une très bonne équipe. »

La vengeance de Roy a été rapide et spectaculaire. Inébranlable pendant les séries éliminatoires de 1996, il a enregistré une flamboyante moyenne de 2,10, gagné sa troisième Coupe Stanley et remporté son troisième trophée Conn Smythe. Il est d'ailleurs le seul joueur de la LNH à avoir obtenu cette récompense à trois reprises.

À partir de ce moment et jusqu'à sa retraite en 2003, Roy n'a jamais remporté moins de 31 matchs par saison ni enregistré une moyenne supérieure à 2,39. Lorsqu'il a raflé sa quatrième Coupe Stanley en 2001, sa moyenne des buts alloués était de 1,70, la meilleure de toute sa carrière.

Roy refuse catégoriquement de se voir attribuer tous les mérites de sa prodigieuse performance. « Je crois au travail d'équipe, dit-il. Tu as besoin de tous tes coéquipiers pour mener ce genre de carrière, et les miens ont toujours été de précieux alliés. Quand Colorado a acquis Ray Bourque, quelqu'un a dit que ça serait difficile de gagner avec toutes ces étoiles dans la même équipe. Mais on a réussi à prouver le contraire. »

Au moment de prendre sa retraite, Roy avait remporté 551 matchs en saison régulière et 151 pendant les éliminatoires, et il avait pratiquement battu tous les records dans son domaine. Pourtant, c'est seulement lorsqu'il a été intronisé au Temple de la renommée en 2006 qu'il a tiré une quelconque gloire personnelle :

« Honnêtement, chaque fois que je m'installais devant le filet, c'était essentiellement pour aider mon équipe à gagner. Mais quand j'ai été admis au Temple, j'ai compris que je le méritais. Dans l'ensemble, je suis heureux d'avoir pu repousser mes limites. La pression, ce n'est pas nécessairement une mauvaise chose, mais il faut avoir les reins assez solides pour pouvoir la supporter. »

– AP

6

Steve Yzerman

Le grand capitaine

On se souviendra de Steve Yzerman comme d'un coéquipier désintéressé et responsable, et comme l'un des meilleurs capitaines de la ligue. Pourtant, ce joueur créatif et élégant a aussi été un excellent marqueur (pendant 5 saisons régulières, il a compté plus de 50 buts) et un attaquant féroce.

« Vraiment, je ne sais pas comment j'ai pu réaliser ces exploits au début de ma carrière, déclare Yzerman. Je me suis toujours vu davantage comme un joueur complet. » De son propre aveu, il s'est d'ailleurs inspiré d'un autre joueur aussi fort à la défense qu'à l'attaque, Bryan Trottier, l'étoile des Islanders de New York. Il l'admirait au point de porter son numéro, le 19.

Le talent de Yzerman a pris tout le monde par surprise, particulièrement les recruteurs de 1983. « Il n'y a pas beaucoup de bons candidats cette année, avait déclaré l'un d'eux en parlant des Steve Yzerman, Pat LaFontaine, Tom Barrasso, Cam Neely, Claude Lemieux, Bob Probert, Rick Tocchet et Dominik Hasek. Il n'y a personne de la trempe de (Gord) Kluzak, (Gary) Nylund ou (Phil) Housley et encore moins de (Brian) Bellows. »

> **« J'ai toujours été optimiste. Les choses allaient toujours en s'améliorant. J'ai toujours vu la lumière au bout du tunnel. »**
>
> **– Steve Yzerman**

D'autres se demandaient si Yzerman était assez résistant pour jouer au sein de la LNH, une crainte qui nous semble ridicule quand on sait qu'il a participé à 1 514 matchs, souvent en souffrant le martyre. Mais il faut dire que Yzerman n'avait pas souvent eu l'occasion de se distinguer au hockey mineur. Au sein de la Ligue de hockey de l'Ontario, il jouait pour les Petes de Peterborough, où il était littéralement sous-utilisé.

Jim Devellano, le DG des Red Wings de Detroit au début de la carrière de Yzerman, a d'ailleurs dit qu'il remerciait Dieu chaque soir « d'avoir encouragé Dick Todd (l'entraîneur des Petes) à utiliser Steve Yzerman seulement une fois sur quatre et très rarement sur les attaques à cinq ».

Quatrième choix au repêchage de 1983, pris en sandwich entre LaFontaine et Barrasso, Yzerman est arrivé dans une équipe complètement en déroute. Depuis l'expansion de la LNH en 1967, les Red Wings ne s'étaient rendus aux éliminatoires qu'à deux reprises. L'époque glorieuse de Gordie Howe était bel et bien révolue.

« Notre équipe, avait dit Devellano avant l'arrivée de Yzerman, est en devenir. »

Steve Yzerman, centre
Né le 9 mai 1965

Carrière au sein de la LNH :	1983-2006
Équipes :	Detroit
Fiche (saisons régulières) :	692 buts, 1 063 passes, 1 755 points en 1 514 matchs
Fiche (séries éliminatoires) :	70 buts, 115 passes, 185 points en 196 matchs
Trophées :	
• Conn Smythe	1 (1998)
• Masterton	1 (2003)
• Pearson	1 (1989)
• Selke	1 (2000)
Nominations – 1re équipe d'étoiles :	1 (2000)
Nominations – 2e équipe d'étoiles :	0
Coupes Stanley :	3
Ce qu'on dira de lui :	Ce grand capitaine a fait fi de la gloire personnelle au profit du succès de son équipe.

Devellano, qui avait grandement contribué à faire des Islanders de New York la grande équipe qu'elle était devenue dans les années 70, a joué un grand rôle dans l'ascension des Red Wings. Il a été épaulé par Yzerman et Mike Illitch. En se portant acquéreur des Red Wings, Illitch, un baron de la pizza, a promis de fournir tout le nécessaire à l'équipe pour qu'elle ramène la Coupe Stanley à Detroit. Yzerman, pour sa part, a compté 39 buts lors de sa première saison en faisant équipe avec Ron Duguay et John Ogrodnick. Il a permis aux Wings de participer aux éliminatoires cette année-là et a raté d'un cheveu le trophée Calder, finalement attribué à Barrasso.

L'équipe des Red Wings s'est progressivement reconstruite, et en 1989, a repêché les fantastiques Mike Sillinger (11e au total), Bob Boughner (32e), Nicklas Lidstrom (53e), Sergei Fedorov (74e), Dallas Drake (116e) et Vladimir Konstantinov (221e).

Mais la pièce de résistance a toujours été Yzerman, ce champion de l'attaque qui, avec les années, a développé sa compétence défensive au point de remporter le trophée Selke. Malgré quelques périodes difficiles, Yzerman a persévéré et a finalement été récompensé. « J'ai toujours été optimiste, dit-il. Les choses allaient toujours en s'améliorant. J'ai toujours vu la lumière au bout du tunnel. Je n'ai jamais pensé qu'on allait dans la mauvaise direction. »

Les faits semblent lui avoir donné raison. En 1987, les Red Wings se sont rendus aux finales de la Conférence de l'Est mais se sont inclinés devant les puissants Oilers d'Edmonton, une performance qu'ils ont réitérée en 1988. Ils ont ensuite connu un succès mitigé jusqu'au milieu des années 90. S'ils se sont rendus aux finales du championnat de la Coupe Stanley en 1995, ils se sont fait balayer par les Devils du New Jersey. À cette époque, la rumeur voulait que les Red Wings envisagent d'échanger Yzerman, qui semblait incapable de mener son équipe vers la victoire. Ça leur a porté fruit de conserver leur capitaine.

En 1997, les Red Wings ont enfin décroché la Coupe, un exploit qu'ils ont répété la saison suivante, notamment grâce à Yzerman qui a dominé la série en enregistrant 24 points et en obtenant le trophée Conn Smythe. Et ils ont remis ça une troisième fois, en 2002. Si Yzerman a reçu de nombreux honneurs en fin de carrière, c'est non seulement parce qu'il ne jouait plus dans l'ombre des Wayne Gretzky et Mario Lemieux, mais aussi parce qu'il s'était réinventé.

« Le plus dur dans tout cela, se rappelle Yzerman, ç'a été d'accepter que je jouais bien et que j'étais encore efficace même si j'étais passé de 130 à 80 points en 2 saisons consécutives. Ce n'était pas évident non plus de se faire remettre en question. Il faut beaucoup de conviction pour continuer malgré les critiques. »

Heureusement, il en fallait plus pour décourager Yzerman.

– KC

7

Martin Brodeur

Le diable au corps

Lorsque le jeune Brodeur a entamé sa carrière de hockeyeur professionnel, sa seule ambition était de pouvoir raconter à ses copains de Saint-Léonard ce que c'était que de jouer dans la LNH. C'est peut-être difficile à avaler, mais quand on l'entend rapporter cette anecdote presque 15 ans plus tard, on voit bien qu'il est sincère : « Tout ce que je voulais au début, c'était de participer à un match de la LNH, dit-il. Puis, j'ai voulu remporter une victoire. Et ainsi de suite. Ç'a été ça mon approche. Je ne me suis jamais cru meilleur qu'un autre. »

Eh bien, sauf votre respect, M. Brodeur, à moins de subir une blessure qui mettrait fin prématurément à votre carrière, vous la terminerez en inscrivant à votre fiche plus de victoires que tout autre gardien de but de la LNH et vous battrez facilement le record de 103 blanchissages de Terry Sawchuk, une performance qu'on croyait inégalable.

Martin Brodeur, gardien de but
Né le 6 mai 1972

Carrière au sein de la LNH :	1991-...
Équipes :	New Jersey
Fiche (saisons régulières) :	494 victoires, 263 défaites et 119 matchs nuls ; moyenne des buts alloués de 2,20 ; 92 blanchissages en 891 matchs.
Fiche (séries éliminatoires) :	94 victoires et 70 défaites ; moyenne des buts allouées de 1,93 ; 22 blanchissages en 164 matchs
Trophées :	
• Calder	1 (1994)
• Jennings	4 (1997, 1998, 2003, 2004)
• Vézina	3 (2003, 2004, 2007)
Nominations – 1ʳᵉ équipe d'étoiles :	3 (2003, 2004, 2007)
Nominations – 2ᵉ équipe d'étoiles :	3 (1997, 1998, 2006)
Coupes Stanley :	3
Ce qu'on dira de lui :	La clef de voûte de la stratégie défensive des Devils du New Jersey.

Mais Brodeur n'avait pas tout à fait tort d'envisager ainsi sa carrière à l'époque. Rien ne laissait supposer qu'il saurait maîtriser la rondelle à ce point. En fait, on croyait plutôt qu'il suivrait les traces de son père, Denis, un bon gardien de but des ligues mineures qui a remporté une médaille de bronze lors des Olympiques d'hiver de 1956, à Cortina, en Italie.

> « Tout ce que je voulais au début, c'était de participer à un match de la LNH. »
>
> – Martin Brodeur

Au sein de la LHJMQ, Martin Brodeur était considéré comme un très bon gardien de but, sans plus. En fait, Jean-François Labbé, élu meilleur gardien de but et sélectionné sur la première Équipe des étoiles, lui volait la vedette en 1991-92. En 3 saisons et 192 matchs pour le Laser de Saint-Hyacinthe, Brodeur n'avait enregistré que 4 blanchissages, et sa meilleure moyenne des buts alloués était de 3,39. Quant à sa performance au sein de la Ligue américaine de hockey en 1992-93, elle s'est avérée plutôt ordinaire. C'est Félix Potvin qui a remporté le prix du meilleur gardien de but de la LAH cette année-là, avant de faire ses preuves comme recrue de la LNH en aidant les Maple Leafs à se rendre en demi-finale. Pourtant, il avait été repêché loin derrière Brodeur en 1990.

En fait, on ne s'attendait pas à ce que Brodeur soit repêché en première ronde. On le voyait plutôt comme un bon numéro 2, derrière Trevor Kidd. « Brodeur n'est pas un gardien accompli, avait déclaré un recruteur à *The Hockey News*, mais il a le physique de l'emploi. On voit que Kidd a une année d'expérience de plus. Mais avec le temps, Brodeur finira par devenir aussi bon que Kidd. »

Ne se laissant pas décourager par ce qu'on disait de Brodeur, les Devils du New Jersey l'ont sélectionné en fin de première ronde (20e sur 21 au total). David Conte, un repêcheur de renom dont les services ont été retenus par de nombreux clubs de la LNH, soutient que Brodeur est son meilleur choix à vie.

Brodeur n'a pas tardé à se hisser au sommet de la LNH. S'il a raté la demi-finale lors de sa première saison avec les Devils, c'est uniquement en raison du tour de force de Mark Messier... et peut-être d'une certaine faiblesse pour parer les coups sournois venant de derrière, les fameux « wraparounds ». Mais à la saison suivante, écourtée en raison du lockout, il s'est repris en raflant la première de ses trois Coupes Stanley. Des joueurs qui ont permis aux Devils de remporter les finales, il ne restait plus que Brodeur et Sergei Brylin en 2006-07.

Malgré ces débuts prometteurs, certains disaient que Brodeur avait la tâche facile grâce aux mastodontes de la ligne défensive des Devils et à un entraîneur dont la stratégie était essentiellement axée sur la défense. D'une certaine façon, les statistiques leur donnaient raison. Les gardiens de but de la génération de Brodeur ont affronté plus de tirs au but que lui. Alors qu'au milieu de la saison 2006-07, il recevait en moyenne 24,8 lancers par match, Dominik Hasek en recevait presque 4 de plus, Mike Richter, dont la prodigieuse carrière a été interrompue par une blessure, 28,9, Curtis Joseph, 28,7, Grant Fuhr, 28,1, Patrick Roy, 27,6, Ron Hextall, 26,9 et Ed Belfour, 25,6.

Mais depuis qu'on calcule le pourcentage d'arrêts sur le nombre total de tirs au but, on constate que seul Hasek (92,3 %) a une meilleure note que Brodeur (91,3 %). Et ce que l'on omet de dire quand on parle des Devils, c'est que, s'ils sont d'excellents défenseurs, ils ne sont pas de grands marqueurs. Sur leurs 92 blanchissages en carrière (jusqu'en 2006-07), 24 l'étaient par la marque de 1 à 0.

« Les matchs à quatre ou cinq points sont rares, dit Brodeur. C'est toujours assez serré et c'est assez stressant pour moi. » Mais c'est lorsqu'il a participé aux Jeux olympiques d'hiver de 2002, 46 ans après son père, que Martin Brodeur est pratiquement devenu un joueur-culte. En aidant l'équipe canadienne à monter sur la plus haute marche du podium pour la première fois en 50 ans, il s'est enfin débarrassé d'une réputation voulant que sa performance soit due aux as de la mise en échec arrière des Devils.

« À partir de là, je me suis mis à remporter des trophées Vézina, dit-il. Les gens ont cessé de douter de moi et ils ont commencé à penser que je n'étais peut-être pas si mal. Probablement qu'il fallait que je sorte du giron des Devils. Et même avec tous les changements qui ont eu lieu en 2005-06, j'étais encore parmi les plus performants. À mon avis, le meilleur gardien ne pourra jamais être bon s'il joue dans une mauvaise équipe. Regardez la performance de (Roberto) Luongo (avec les Canucks de Vancouver). Ne me dites pas qu'il s'est amélioré du jour au lendemain. C'est simplement qu'il joue dans une meilleure équipe. C'est ce qui compte avant tout. Ensuite, c'est au joueur de faire ses preuves. »

– KC

8

Ray Bourque

Jouer aux échecs sur la patinoire

On mesure bien tout le génie de Ray Bourque lorsqu'il parle stratégie : « J'aimais bien déjouer mes adversaires, dit le natif de Montréal. Je les amenais à faire telle ou telle manœuvre pour ensuite en profiter. Que ce soit à l'attaque ou à la défense, c'est un peu comme jouer aux échecs.

« Une stratégie simple consiste à te positionner devant le filet, le bâton de côté, pour offrir une ouverture à l'adversaire. Et au moment où il tente un tir au but, tu déplaces ton bâton et tu interceptes la rondelle. Tu donnes pour mieux reprendre. C'était ça qui était excitant. En fait, parfois, c'en était comique. »

C'est sans doute moins drôle pour ceux qui ont fait les frais des tactiques de Bourque pendant 22 saisons. Tout au long de sa carrière, il a été le défenseur le plus craint des Bruins de Boston. Non pas parce qu'il jouait les durs, mais bien parce qu'il était rusé et savait comment confondre ses adversaires.

Lorsqu'il a accroché ses patins pour de bon, après avoir remporté la Coupe Stanley avec l'Avalanche du Colorado en 2001, Bourque avait accumulé cinq trophées Norris, un Calder, un Lester Patrick, un King Clancy Memorial. Sa fiche comptait 1 579 points (410 buts et 1 169 passes) et 19 sélections pour le Match des étoiles. Une telle performance témoigne de sa constance, sa principale préoccupation tout au long de sa carrière.

> **« Mon sens de l'analyse est sans doute ma plus grande force. »**
>
> **– Ray Bourque**

« Je n'ai jamais cherché le succès immédiat, dit-il. Je ne voulais pas avoir un bon match ou une bonne saison. Mon but, c'était d'offrir ma meilleure performance chaque jour. Peu importe si j'avais été excellent pendant une pratique ou un match, le lendemain, il fallait que j'en fasse autant. »

En plus de l'habileté, du talent et de la constance, Bourque possédait un atout qu'on ne peut pas vraiment acquérir : la vision. « Avoir une vision, dit-il, c'est savoir jouer, savoir préserver son énergie et ne pas se précipiter partout sur la patinoire. C'est anticiper le jeu des autres, savoir où la rondelle devrait et ne devrait pas aller, et prévoir sa position. C'est oser des stratégies et ne pas se décourager si elles ne fonctionnent pas du premier coup.

Ray Bourque, défenseur
Né le 28 décembre 1960

Carrière au sein de la LNH :	1979-2001
Équipes :	Boston, Colorado
Fiche (saisons régulières) :	410 buts, 1 169 passes, 1 579 points en 1 612 matchs
Fiche (séries éliminatoires) :	41 buts, 139 passes, 180 points en 214 matchs
Trophées :	
• Calder	1 (1980)
• Clancy Memorial	1 (1992)
• Norris	4 (1987, 1988, 1990, 1994)
Nominations – 1ʳᵉ équipe d'étoiles :	13 (1980, 1982, 1984, 1985, 1987, 1988, 1990, 1991, 1992, 1993, 1994, 1996, 2001)
Nominations – 2ᵉ équipe d'étoiles :	6 (1981, 1983, 1986, 1989, 1995, 1999)
Coupes Stanley :	1
Ce qu'on dira de lui :	Ce porte-étendard des Bruins pendant 20 ans a terminé sa carrière comme champion de l'Avalanche.

« Mon sens de l'analyse est sans doute ma plus grande force. Et comme c'est naturel chez moi, c'est difficile à enseigner. Ce n'est pas évident d'amener les gens à percevoir les choses comme on les voit. »

Bourque n'a jamais témoigné de l'arrogance à laquelle on aurait pu s'attendre de la part du capitaine d'une équipe qui faisait partie de l'Original Six. C'est autrement qu'il a mérité le respect de ses coéquipiers. Pendant 14 ans, il a exercé son leadership avec une force tranquille. « J'avais plutôt tendance à diriger par l'exemple, dit-il. C'était davantage dans ma nature. Je faisais de mon mieux et je me préparais de mon mieux ; c'est ainsi que je montrais à mes coéquipiers ce qu'il fallait faire pour réussir.

« Certains leaders ne craignent pas de dire ce qu'ils pensent. Ils ne mâchent pas leurs mots et abordent les problèmes de front. D'autres, comme moi, doivent apprendre à le faire. Avec le temps, j'ai fini par y arriver. »

Lorsque, en 1999-2000, Bourque a demandé à l'administration des Bruins d'être cédé à une équipe qui avait des chances de remporter la Coupe Stanley, il n'était même pas certain de pouvoir jouer une autre saison. Mais tous ses doutes se sont envolés au septième match de la finale de la Conférence de l'Ouest.

« Ç'a été très difficile pour moi de quitter Boston, mais j'ai trouvé ma place avec l'Avalanche, dit celui qui a été admis au Temple de la renommée en 2004. Psychologiquement, ça m'a fait du bien d'être dans une équipe solide. Ç'a été comme une renaissance pour moi. J'ai beaucoup apprécié mes coéquipiers, l'organisation et Denver.

« Au début, j'étais dans une drôle de situation, car je suis arrivé au milieu de la saison. Mais l'année suivante, j'ai fait partie de l'équipe dès le premier jour. J'ai trouvé ça formidable d'entendre Bob Hartley et mes coéquipiers discuter de la stratégie à mettre en place pour gagner la Coupe Stanley… dès le premier jour du camp d'entraînement. »

Au chapitre des expériences formidables, Bourque compte évidemment sa victoire au championnat 2001 de la Coupe Stanley. L'Avalanche a dû remonter une bonne pente, car les Devils du New Jersey menaient la série finale 3 à 2.

« Pendant toute la durée des séries, dit Bourque, les gens m'ont demandé ce que ça me faisait de jouer pour gagner. Je leur répondais qu'on ne jouait pas pour ça. Mais quand on a remporté le sixième match de la finale, je me suis mis à vouloir gagner.

« Le septième match était vraiment étrange. Un des matchs les plus difficiles que j'ai joués. On menait 3 à 0. Il ne fallait pas qu'on s'endorme sur nos lauriers, il fallait rester concentrés. C'était un exercice mental assez difficile.

« La façon dont les choses ont tourné est une belle histoire – et pas seulement pour moi, mais pour le hockey. »

– AP

9

Nicklas Lidstrom

Le joueur parfait

Nicklas Lidstrom ne pourrait pas trouver plus fervent admirateur que Jim Devellano. Et comme l'ancien DG des Red Wings en connaît un rayon sur la LNH, son opinion vaut son pesant d'or.

« Je travaille dans la ligue depuis 40 ans, mais je m'y intéresse depuis 1956, dit Devellano, actuellement vice-président directeur du club de Detroit. Bobby Orr est peut-être le meilleur défenseur de tous les temps, mais Nicklas Lidstrom vient tout juste après. Et je pense que je sais de quoi je parle. N'oubliez pas que c'est moi qui ai repêché Denis Potvin, un autre assez bon joueur.

« Pourquoi je mets Lidstrom dans une classe à part, à l'écart des Potvin, Brad Park, Chris Chelios, Ray Bourque ? Parce qu'il a remporté cinq trophées Norris, un Conn Smythe – il est le seul Européen à avoir remporté ce prix –, trois Coupes Stanley, cinq Président, une médaille d'or pour la Suède aux derniers Jeux olympiques. Mais par-dessus tout, il excelle dans tous les aspects du hockey. Il a un bon coup de patin, il manie la rondelle extrêmement bien, il a un lancer formidable, ses passes sont d'une rare efficacité, il fait très, très peu d'erreurs et il est fort comme un cheval. »

Calme et modeste en toutes circonstances, Lidstrom se dit honoré d'être associé aux plus grands hockeyeurs de tous les temps.

> « Mais par-dessus tout, il excelle dans tous les aspects du hockey. »
>
> **– Jimmy Devellano**

« J'ai eu beaucoup de chance, déclare le natif de Vasteras, en Suède. J'ai bénéficié d'une conjoncture favorable, et je me suis retrouvé avec les bons coéquipiers et dans le bon club. Je n'aurais jamais pu accomplir tout ce que j'ai fait sans l'aide de tous ces gens. »

Personne, y compris le principal intéressé, ne s'attendait à ce qu'il mène une telle carrière lorsque, à l'âge de 21 ans, il est entré dans la LNH. Mais sa participation à deux tournois internationaux lui a donné la confiance dont il avait besoin pour partir du bon pied dans la ligue.

« La première année, ma seule ambition c'était de faire partie de l'équipe, dit celui qui a été repêché par les Red Wings en troisième ronde (53e rang au total) en 1989. Mais le fait de participer au Championnat du monde et à la Coupe Canada en 1991 m'a aidé à me perfectionner et à me sentir à l'aise dès le départ. Quand tu te rends compte que tu es capable de jouer avec les plus grands joueurs du monde, tu es moins nerveux à l'idée de faire le camp d'entraînement avec les Red Wings. »

Nicklas Lidstrom, défenseur
Né le 28 avril 1970

Carrière au sein de la LNH :	1991-...
Équipes :	Detroit
Fiche (saisons régulières) :	202 buts, 666 passes, 868 points en 1 176 matchs
Fiche (séries éliminatoires) :	39 buts, 97 passes, 136 points en 192 matchs
Trophées :	
• **Conn Smythe**	1 (2002)
• **Norris**	5 (2001, 2002, 2003, 2006, 2007)
Nominations – 1re équipe d'étoiles :	8 (1998, 1999, 2000, 2001, 2002, 2003, 2006, 2007)
Nominations – 2e équipe d'étoiles :	0
Coupes Stanley :	3
Ce qu'on dira de lui :	Défenseur émérite, le seul Européen d'origine à avoir remporté un trophée Conn Smythe.

En accumulant 60 points, dont 49 passes, dès sa première année avec l'équipe de Detroit, le défenseur Lidstrom s'est rapidement imposé comme un excellent attaquant. « Mais c'est grâce au vétéran défenseur Brad McCrimmon que j'ai pu enregistrer une si bonne performance cette saison-là, dit-il. On jouait pratiquement tout le temps en tandem, et comme il avait plutôt tendance à rester sur la ligne bleue, j'avais le feu vert pour participer à l'attaque. »

Le fait que les Red Wings comptent de nombreux joueurs compétents ne lui a pas nui non plus. « L'année où Nicklas a commencé, on avait une autre recrue intéressante, Vladimir Konstantinov, on rodait un gars du nom de Sergei Fedorov et (Steve) Yzerman était encore jeune, se rappelle Devellano. On ne comptait donc pas trop sur Lidstrom. On pensait qu'il serait bon, mais il a dépassé nos attentes en étant fonctionnel presque immédiatement. Et il n'a pas arrêté de s'améliorer avec le temps. »

Fait à noter, Lidstrom s'est vraiment épanoui quand Paul Coffey – un autre défenseur bien connu pour son efficacité comme attaquant – s'est joint aux Red Wings en 1994. « Au bout de trois ou quatre années à faire équipe avec Paul, j'ai appris à rester en arrière et à peaufiner mon jeu défensif, dit Lidstrom. Ça aussi, ça vient avec l'expérience. Savoir bien jouer aux deux extrémités de la patinoire, ça ne s'acquiert pas du jour au lendemain. »

Il semble qu'il ait bien appris la leçon : en 15 saisons, Lidstrom a participé à 1 176 matchs, marqué 202 buts, inscrit 868 points à sa fiche et raté seulement 22 matchs. En termes de présence, il enregistre une moyenne de 98,2 %, soit la plus élevée parmi ceux qui ont pris part à un millier de matchs.

« C'est un joueur extrêmement fiable, dit Devellano. Quand il s'absente, c'est presque tout le temps parce qu'il n'a pas le choix. Par exemple, il est arrivé que Scotty (Bowman, l'entraîneur) lui interdise de jouer pendant les deux derniers matchs de la saison régulière pour le préserver en vue des éliminatoires. »

Parmi toutes les récompenses que Lidstrom a reçues, sa nomination en tant que capitaine des Red Wings en 2006-07, après le règne de Yzerman, est sans doute celle dont il est le plus fier. Il est le premier Européen à assumer cette responsabilité à Detroit.

« Non seulement, la direction du club honore ainsi ses qualités de leadership, dit Devellano, mais elle montre qu'elle a foi en lui. On aurait tendance à penser que, vu son âge, son rendement va bientôt diminuer et qu'on va devoir le laisser moins longtemps sur la glace. Mais ce n'est pas encore le cas. Chaque fois qu'on est en désavantage numérique ou qu'on fait une attaque à cinq, c'est le numéro 5 qu'on envoie sur la patinoire. Ça n'aurait pas de sens de le laisser sur le banc quand on voit à quel point il est utile. »

Lidstrom a signé un contrat jusqu'en 2007-08, mais Devellano croit qu'il est en mesure de jouer beaucoup plus longtemps : « Nicklas peut jouer cinq autres années pour nous, dit-il. Et mettons les choses au clair : il va finir sa carrière avec les Red Wings, il ne sera pas échangé. Et quand il va prendre sa retraite, on va lui faire une aussi grosse cérémonie qu'à Stevie Yzerman. Il le mérite tout autant. »

– AP

10

Phil Esposito

L'éboueur le plus connu au Canada

Phil Esposito se préparait en prévision d'un match du Lightning de Tampa Bay qu'il allait commenter à la radio, lorsqu'il a eu une sorte de révélation. Les statistiques qu'il était en train d'éplucher n'avaient rien à voir avec ses 550 époustouflants tirs au but de la saison 1970-71. Il a alors compris à quel point sa performance avait été extraordinaire. « M... alors ! s'est-il exclamé. J'étais une véritable machine, cette année-là ! C'est quelque chose comme huit tirs par match. C'est à peine croyable ! »

En réalité, c'est 7,05 tirs au but par match. Mais ça n'enlève rien à l'exploit, car dans toute l'histoire de la LNH, personne ne l'a répété. Avec ses 429 tirs au but en 1998-99, Paul Kariya est celui qui se rapproche le plus de la performance d'Esposito.

Tout au long de sa carrière, Esposito a traîné le surnom d'éboueur (« garbageman »), parce qu'il avait pour habitude de se tenir près du filet de l'équipe adverse et de « ramasser » les rondelles pour les tirer au but. Mais il était beaucoup plus que cela. Il avait d'inestimables qualités de leadership, il était très efficace en désavantage numérique, il n'avait pas son pareil lors des mises au jeu, il patinait beaucoup mieux qu'on ne le croyait et, malgré son 1,85 m et ses 90 kilos, il bénéficiait d'une telle résistance physique qu'il épuisait tous les joueurs qui le couvraient.

Lors de la fameuse saison 1970-71, Esposito a marqué 76 buts, battant le précédent record de la LNH par 18 points. « Je crois qu'Espo est le joueur le plus sous-estimé de la LNH », a dit alors l'entraîneur des Bruins, Harry Sinden. En fait, il est comparable à Bobby Orr. »

> **« Parfois, je pense qu'avec le genre de vie qu'on menait, on a été chanceux de remporter deux Coupes. »**
>
> **– Phil Esposito**

En 1969, Esposito a été le premier joueur à enregistrer plus de 100 points en une saison, ce qui lui a valu le trophée Hart (joueur le plus utile), une récompense qu'il a aussi obtenue en 1974. Pas si mal pour quelqu'un qui a été évincé de son équipe bantam à Sault-Sainte-Marie, en Ontario, qui a dû jouer du coude pour être admis au sein de la LNH et qui s'est fait traiter de paresseux. « Phil n'est pas un patineur né, avait déclaré Tommy Ivan, le DG des Blackhawks à l'époque. C'est pourquoi il tire toujours de l'arrière. »

Phil Esposito, centre*

Né le 20 février 1942

Carrière au sein de la LNH :	1963-81
Équipes :	Chicago, Boston, Rangers de NY
Fiche (saisons régulières) :	643 buts, 773 passes, 1 416 points en 1 047 matchs
Fiche (séries éliminatoires) :	57 buts, 72 passes, 129 points en 101 matchs
Trophées :	
• Art Ross	5 (1969, 1971, 1972, 1973, 1974)
• Hart	2 (1969, 1974)
• Pearson	2 (1971, 1974)
Nominations – 1re équipe d'étoiles :	6 (1969, 1970, 1971, 1972, 1973, 1974)
Nominations – 2e équipe d'étoiles :	2 (1968, 1975)
Coupes Stanley :	2
Ce qu'on dira de lui :	Il est devenu un joueur légendaire en marquant 76 buts en 1971 et en exerçant un rôle déterminant lors de la Série du siècle, en 1972.

Ces statistiques ne tiennent pas compte de la période précédant l'expansion.

En 1967, après avoir perdu les demi-finales aux mains des Maple Leafs de Toronto en six matchs pendant lesquels Esposito n'avait compté aucun point, les Blackhawks l'ont échangé avec Ken Hodge et Fred Stanfield, contre Pit Martin, Jack Norris et Gilles Marotte des Bruins de Boston. Encore aujourd'hui, cette transaction est considérée comme la moins équitable de toute l'histoire de la LNH. Mais c'est avec les Bruins qu'Esposito a raflé deux Coupes Stanley et cinq trophées Art Ross, et qu'il a récolté six nominations pour les Équipes des étoiles. C'est également à cette époque qu'il est devenu une superstar.

« J'arrivais dans une équipe moribonde, dit Esposito de son entrée chez les Bruins. On ne donnait pas cher de notre performance. » Mais grâce à lui et à Orr, l'équipe a repris du poil de la bête.

Malgré tout, on n'a jamais pu s'empêcher de penser que les équipes dans lesquelles jouait Esposito auraient pu offrir un meilleur rendement. Ainsi, malgré la force du commando formé par Esposito, Bobby Hull, Stan Mikita, Ken Wharram et Doug Mohns, les Blackhawks ne sont pas arrivés à remporter la Coupe Stanley. Et si les Bruins l'ont gagnée en 1970 et en 1972, ils ont quand même fait plus de bévues que de bons coups.

« On aurait dû gagner quatre Coupes d'affilée, dit Esposito. Mais on était trop sûrs de nous et pas très disciplinés. On aimait trop faire la fête. Parfois, je pense qu'avec le genre de vie qu'on menait, on a été chanceux de remporter deux Coupes. »

C'est probablement lors de la Série du siècle de 1972 que Phil Esposito s'est surpassé en tant que joueur et leader. Au terme du quatrième match (que les Russes venaient de remporter par la marque de 5 à 3 à Vancouver), il a pris la parole à la télévision nationale, notamment pour adresser des remontrances aux fans qui avaient hué son équipe. L'effet de cette sortie a été grandement exagéré, car la plupart des joueurs n'en ont même pas eu connaissance, mais il n'en demeure pas moins qu'Esposito a littéralement galvanisé son équipe en Europe. En fait, Bobby Clarke a déjà dit qu'il s'en était inspiré pour diriger plus tard les Flyers de Philadelphie.

Meilleur marqueur de la série, Esposito a enregistré 7 buts, 13 points et 52 tirs au but, soit 20 de plus que son rival le plus sérieux : Alexander Maltsev de l'équipe soviétique. « Il était impensable qu'on perde la série, dit Esposito. Après tout, je venais de remporter le trophée Art. C'est pourquoi je n'ai pas mâché mes mots. Lors de la première réunion à Toronto, j'ai demandé à Alan Eagleson où allait tout l'argent généré par la série, et il ne m'a pas donné une réponse satisfaisante. Il m'a dit que ça allait dans la caisse de retraite. Quelle caisse de retraite ? C'était ça la question. C'est à ce moment-là que j'aurais dû monter aux barricades. »

Esposito a été cédé aux Rangers de New York en 1975 – une autre transaction qui a ébranlé la LNH – et leur a été très utile jusqu'au milieu de la saison 1980-81, notamment en 1979 où l'équipe a atteint les finales de la Coupe Stanley. C'est aussi à cette époque qu'il a fait partie de l'équipe qui a remporté la Coupe Canada (1976). Puis il a constaté qu'il n'avait tout simplement plus envie de jouer au hockey. « J'en ai eu honte », dit-il. N'empêche, il avait eu le temps de devenir un joueur digne d'être intronisé au Temple de la renommée.

« On me demande si j'aimerais encore jouer aujourd'hui, raconte Esposito. Et comment ! D'abord, plus personne n'ose toucher à un joueur lorsqu'il est en zone dégagée, et ensuite, je gagnerais 7 ou 8 millions de dollars par année ! »

– KC

11

Mike Bossy

Le tireur d'élite

On dit que la brutalité a envahi peu à peu le hockey au milieu des années 90, soit lorsque la LNH a commencé à souffrir d'hypertrophie. Mike Bossy n'est pas du tout d'accord. Ce sont peut-être ses maux de dos chroniques qui ont eu raison de sa brillante carrière en 1987, mais ses constantes bagarres avec les Rick Zombo, Jan Erixon, Randy Cunneyworth et Doug Sulliman n'ont certainement pas arrangé les choses. À cette époque, les stars étaient agressées aussi souvent – sinon plus – qu'en 2004.

La LNH a donc perdu ce magnifique ailier de 32 ans parce qu'elle a permis à des joueurs médiocres de le neutraliser par toutes sortes de tactiques qu'on utilise encore de nos jours contre Sidney Crosby. Il y a peut-être une leçon à tirer ici…

« Regardez n'importe quel match des années 70 et 80, dit Bossy. Je gagerais ma chemise que vous relèverez six ou sept coups qu'on pénaliserait aujourd'hui. Les accrochages, les retenues et les obstructions, c'était monnaie courante. »

Lors des finales de 1982, Dave « Tiger » Williams des Canucks de Vancouver a même admis qu'il voulait arracher la tête de Bossy. Et pour cause : grâce à sa fabuleuse performance, l'ailier droit des Islanders de New York a raflé le trophée Conn Smythe et a permis à son équipe de faire mordre la poussière aux Canucks et de remporter la Coupe Stanley.

> **« Si personne ne me retient le bras, j'ai de bonnes chances de compter un but. »**
>
> **– Mike Bossy**

Bossy, un homme aux manières élégantes et au langage châtié, travaille maintenant au service des affaires publiques des Islanders. Il se souvient très bien des paroles de Williams. « Ce genre d'attitude, dit-il, faisait partie de la culture du hockey. Je suis sûr que, de nos jours, on suspendrait un joueur qui proférerait publiquement de telles menaces à l'endroit de Sidney Crosby. Mais c'est comme ça qu'on jouait à l'époque. »

Pas lui cependant ; le jeu de Bossy tenait plutôt de la magie. Bill Torrey, le DG des Islanders, a souvent dit que Bossy avait l'air de lancer la rondelle sans y toucher. Il semblait arriver de nulle part et marquait des points dans des conditions pratiquement impossibles, alors qu'il était généralement entouré de défenseurs de l'équipe adverse. « Si personne ne me retient le bras, a dit Bossy un jour, j'ai de bonnes chances de compter un but. »

Mike Bossy, ailier droit
Né le 22 janvier 1957

Carrière au sein de la LNH :	1977-87
Équipes :	Islanders de NY
Fiche (saisons régulières) :	573 buts, 553 passes, 1 126 points en 752 matchs
Fiche (séries éliminatoires) :	85 buts, 75 passes, 160 points en 129 matchs
Trophées :	
• **Calder**	1 (1978)
• **Conn Smythe**	1 (1982)
• **Lady Byng**	3 (1983, 1984, 1986)
Nominations – 1re équipe d'étoiles :	5 (1981, 1982, 1983, 1984, 1986)
Nominations – 2e équipe d'étoiles :	3 (1978, 1979, 1985)
Coupes Stanley :	4
Ce qu'on dira de lui :	Le plus grand « pure scorer » de tous les temps.

Grâce à son remarquable talent, Bossy a été l'un des plus grands marqueurs de toute l'histoire du hockey. Déjà, au sein de la Ligue de hockey junior majeur du Québec, il avait une fiche de plus de 300 buts. D'ailleurs, on s'explique mal qu'au repêchage de 1977 les Islanders ne l'aient sélectionné qu'au 15e rang. « J'ai toujours eu une bonne performance, avait-il dit alors, et je crois que je peux aider les Islanders. Mais ça ne se produira peut-être pas du jour au lendemain. J'espère qu'on sera patient avec moi. »

Mise en garde inutile. Bossy a compté 53 buts dès sa première année avec l'équipe de New York. À ce jour, il est le seul joueur à avoir enregistré plus de 50 buts par saison pendant 9 années de suite. Mike Bossy était redoutable quand il s'emparait de la rondelle, car peu de joueurs avaient un dégagement aussi rapide.

« Je crois que c'était une question de survie, dit Bossy. Quand je suis entré dans la LNH, je savais que les choses iraient beaucoup plus vite que chez les juniors. Il ne fallait pas hésiter une seconde avec la rondelle. »

En 10 ans de carrière, il a enregistré 5 saisons de plus de 60 buts et 3 séries éliminatoires d'affilée de 17 buts chacune, un record au sein de la LNH. Peu de joueurs de sa génération en ont fait autant. Bossy était particulièrement performant pendant les éliminatoires : sa moyenne de 0,66 but par match le classe tout juste derrière Mario Lemieux (0,71). Il s'est notamment distingué pendant le championnat de 1982. Pourtant, il souffrait d'une blessure dans un ligament de son genou gauche et devait constamment être sur ses gardes pour se protéger des attaques incessantes des Canucks.

« Même avec tous ces joueurs à mes trousses, a dit Bossy après les séries, j'ai réussi à marquer sept buts. Je suis pas mal fier de ma performance dans ces circonstances. »

Lors d'un match particulièrement violent contre les Red Wings de Detroit en 1982, Bossy s'est fait renverser à 25 reprises au moins. Les défenseurs des Wings ne se sont pas gênés pour le pétrir de coups, et il se faisait talonner par Paul Woods. « Je pense que si Bossy s'était arrêté pour commander un hamburger et un café, a dit Al Arbour, l'entraîneur des Islanders, Woods l'aurait imité. »

Au camp d'entraînement de 1986-87, Bossy a commencé à souffrir de maux de dos qui ne lui ont pas donné une minute de répit cette saison-là. Un trajet de deux heures en autobus, entre Long Island et Philadelphie, a d'ailleurs empiré les choses. Peu de temps après, il s'est rendu compte qu'il n'arriverait pas à marquer 50 buts. « Ça me fait mal juste d'y penser », avait dit Bossy, qui a mis un terme à sa carrière à la LNH en 1987, année durant laquelle il a marqué 38 buts en 63 matchs.

À cause de sa fierté et peut-être aussi de son entêtement, Bossy s'est souvent chamaillé avec ses coéquipiers au début de sa carrière. Ce fumeur invétéré avait toujours l'air à cran. Aujourd'hui, 20 ans après avoir pris sa retraite, il semble plus détendu. En raison de son travail pour les Islanders et à titre de commentateur sur les ondes d'une radio montréalaise, il suit l'évolution du hockey et de la LNH de près. De façon générale, ce qu'il voit lui plaît. Mais il constate que rien ne change vraiment. « Comme toujours, il y a des hauts et des bas, dit-il. Il y a de bons et de moins bons matchs, de bons et de moins bons joueurs. L'histoire se répète. »

– KC

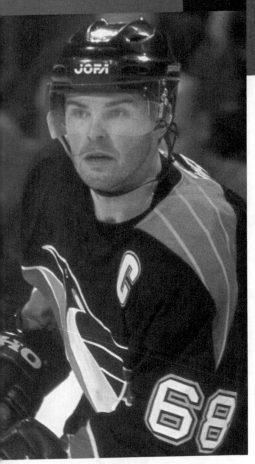

12

Jaromir Jagr

Un Tchèque de 81 millions de dollars

Nombreux sont les excellents joueurs de hockey qui n'auront jamais la chance de remporter la Coupe Stanley. Jaromir Jagr, lui, en a raflé deux avant même de maîtriser l'anglais ou d'être en âge de commander une bière à Pittsburgh.

Par la suite, il a obtenu de nombreux honneurs individuels, notamment cinq trophées Art Ross (meilleur compteur de la LNH en saison régulière) et un Hart (meilleur joueur de la LNH en saison régulière). Mais, sauf pour la médaille d'or qu'il a récoltée avec ses compatriotes de la République Tchèque aux Olympiques de 1998, il n'a plus jamais savouré de succès d'équipe.

Plus âgé, plus sage et mieux coiffé, Jagr est maintenant en mesure d'apprécier toute la portée des exploits accomplis par les Penguins en 1991 et 1992 : « Je ne comprenais pas ce que ça signifiait de remporter la Coupe Stanley, dit le natif de Kladno, en République Tchèque. N'oubliez pas que j'étais très jeune et que je débarquais en Amérique du Nord. Je n'avais pas la même culture du hockey. Je ne saisissais pas à quel point c'était difficile de remporter une Coupe Stanley ni même ce que ça symbolisait. »

On n'a pas tardé à l'affubler du surnom de « Mario Jr » et pas seulement parce que c'est l'anagramme de « Jaromir ». Lors du championnat de 1992, Jagr a en effet contribué au succès des Penguins en occupant la place que Lemieux laissait vide en raison d'une fracture de la main causée par un cinglage d'Adam Graves.

Il est intéressant de constater que Jagr avait été sélectionné au cinquième rang du repêchage de 1990. Pourtant ses aptitudes le destinaient à être recruté dès le premier rang. Mais en fin de compte, les choses n'ont pas trop mal tourné pour lui. En entrant dans une équipe bourrée de joueurs de talent et d'expérience, il s'est retrouvé dans une situation beaucoup plus confortable qu'il ne l'aurait été si les malheureux Nordiques de Québec l'avaient choisi à la place d'Owen Nolan (premier rang du repêchage cette année-là).

« Ma carrière aurait été en dents de scie, dit Jagr. J'aurais davantage appris de mes erreurs. J'aurais été forcé de faire preuve de leadership à un plus jeune âge, ce qui aurait été difficile parce que je parlais à peine anglais. En mettant les choses au pire, j'aurais été un joueur moyen après cinq ans. » Ce qui n'a pas été le cas. Jagr est devenu le meilleur compteur d'origine européenne de la LNH lorsque, en 2006-07, il a surpassé Stan Mikita, qui détenait ce titre jusque-là.

> **« Je ne comprenais pas ce que ça signifiait de remporter la Coupe Stanley. »**
>
> **– Jaromir Jagr**

C'est un autre genre de défi qu'a dû relever l'ailier droit. Premier Européen à jouer pour les Penguins, il devait faire beaucoup d'efforts pour s'adapter. Le regretté Bob Johnson, membre du Temple de la renommée et entraîneur des Penguins lors de la première saison de Jagr, a travaillé de près avec lui et l'a soutenu à plus d'un titre. Il a vivement conseillé au club d'acquérir le vétéran Tchèque Jiri Hrdina pour aider son jeune compatriote à s'intégrer. Il a aussi composé avec les faiblesses de Jagr à la défense.

« Je me souviens de Johnson comme l'un de mes meilleurs entraîneurs, dit Jagr. Cette année-là, je n'ai pas cessé d'avoir le mal du pays. J'ai souvent été très tenté de rentrer chez moi. »

Bien qu'il mène une brillante carrière, Jagr a des points faibles. On dit qu'il est d'humeur changeante et qu'il n'est pas toujours coopératif. Ainsi, au cours de la saison 2006-07, il a déclaré à l'entraîneur des Rangers de New York, Tom Renney, qu'il ne voulait plus participer aux tirs de fusillade après les prolongations.

Mais c'est avec les Capitals que Jagr a le plus souffert. À son arrivée à Washington en 2001-02, il a été reçu comme un sauveur. Or, sa performance s'est avérée plutôt quelconque. Pendant ce temps-là, l'équipe battait de l'aile. Lorsqu'on demande au principal intéressé s'il a abandonné les Capitals de Washington, il répond que c'est plutôt le contraire qui s'est produit. « Au lieu d'exploiter mes forces, dit-il, ils s'attendaient à ce que je m'adapte à leur strict système de défense. »

De plus, Jagr bénéficiait d'un contrat extrêmement avantageux qui a failli ruiner l'équipe et a provoqué quelques frustrations parmi ses coéquipiers, notamment Adam Oates, le capitaine de l'équipe. « C'était un excellent joueur, dit Jagr. On lui avait refusé le salaire qu'il avait demandé sous prétexte que le club n'en avait pas les moyens. Puis, on m'a accordé 81 millions de dollars. Comment tu te sens quand tu t'appelles Oates ? Je ne le blâme pas de s'être comporté comme il l'a fait avec moi. »

Avec les Rangers et le renouvellement de la LNH, la carrière de Jagr semble avoir retrouvé un second souffle. Au cours des deux saisons suivant le lockout, seul Joe Thornton avait accumulé plus de points que les 219 de Jagr.

« Je suis très heureux à New York, conclut-il. C'est là que je veux finir ma carrière. »

– KC

Jaromir Jagr, ailier droit
Né le 15 février 1972

Carrière au sein de la LNH :	1990-...
Équipes :	Pittsburgh, Washington, Rangers de NY
Fiche (saisons régulières) :	621 buts, 907 passes, 1 528 points en 1 191 matchs
Fiche (séries éliminatoires) :	72 buts, 94 passes, 166 points en 159 matchs
Trophées :	
• Art Ross	5 (1995, 1998, 1999, 2000, 2001)
• Hart	1 (1999)
• Pearson	3 (1999, 2000, 2006)
Nominations – 1re équipe d'étoiles :	7 (1995, 1996, 1998, 1999, 2000, 2001, 2006)
Nominations – 2e équipe d'étoiles :	1 (1997)
Coupes Stanley :	2
Ce qu'on dira de lui :	L'attaquant européen le plus talentueux de la LNH.

13

Guy Lafleur

La fine fleur du hockey

S' il est un joueur qui portait bien son nom, c'était Guy Lafleur, car nul autre ne s'épanouissait autant que lui sur une patinoire. Incarnant à la fois rapidité, finesse, créativité et habileté, il a été l'un des joueurs les plus adulés de l'histoire des Canadiens de Montréal. En 17 saisons au sein de la LNH, cette légende vivante a remporté cinq Coupes Stanley, trois trophées Art Ross, deux Hart, trois Lester Pearson et un Conn Smythe.

« Lafleur est un véritable artiste du hockey, écrivait Bill Libby, ancien rédacteur de *The Hockey News*. Il repère ses adversaires et ses coéquipiers, et il prévoit leurs positions. C'est tout simplement merveilleux de voir jouer ce spectaculaire athlète. »

Dès le début de sa carrière dans la Ligue de hockey junior majeur du Québec, Lafleur s'est tenu au-dessus de la mêlée. Avec les Remparts de Québec, il a enregistré des statistiques époustouflantes : 170 points dont 103 buts en 1969-70, et 209 points dont 130 buts en 1970-71. Cette année-là, il a également raflé la Coupe Memorial.

Avant même que Lafleur soit repêché en 1971, sa performance avait fait beaucoup de bruit au sein de la LNH. Désireux de l'ajouter à leur brochette d'étoiles francophones, les Canadiens de Montréal se sont arrangés pour le sélectionner au premier rang, le préférant à Marcel Dionne, un autre futur membre du Temple de la renommée.

Lorsqu'il a revêtu l'uniforme du Tricolore, Lafleur, dont l'idole était Jean Béliveau, a vu son rêve le plus cher se réaliser. Dès sa première année avec les Canadiens, il a enregistré 64 points dont 29 buts. « Je pense que ce que j'aime le plus chez les Canadiens, c'est qu'on sait qu'on a beaucoup de chance de remporter la Coupe, a-t-il dit à l'époque. Les gars sont fiers, l'esprit d'équipe est excellent. C'est fantastique. Tout le monde se soutient, tout le monde participe. »

> « Une passe est peut-être une passe, mais une passe à Lafleur est un but. »
>
> **– Pierre Mondou**

De plus, Lafleur était différent de certains joueurs doués qui faisaient tout pour éviter les contacts physiques. « Parfois, c'est bon de se faire mettre en échec, dit-il. Ça réveille. »

En 1974-75, Lafleur a littéralement fait une percée offensive en comptant 119 points, dont 53 buts, en 70 matchs. Il a maintenu cette cadence pendant les 5 saisons suivantes, dépassant chaque fois le cap des 50 buts et des 100 points. Il est le premier joueur de la LNH à avoir accompli une telle prouesse.

Lafleur a atteint des sommets en 1976-77 avec 136 points, en 1977-78 avec 60 buts et en 1978-79 avec 77 passes. Il a également participé aux tournois de l'Équipe Canada en 1976 et de la Coupe Canada en 1981.

Guy Lafleur, ailier droit

Né le 20 septembre 1951

Carrière au sein de la LNH :	1971-91
Équipes :	Montréal, Rangers de NY, Québec
Fiche (saisons régulières) :	560 buts, 793 passes, 1 353 points en 1 126 matchs
Fiche (séries éliminatoires) :	58 buts, 76 passes, 134 points en 128 matchs
Trophées :	
• **Art Ross**	3 (1976, 1977, 1978)
• **Conn Smythe**	1 (1977)
• **Hart**	2 (1977, 1978)
• **Pearson**	3 (1976, 1977, 1978)
Nominations – 1ʳᵉ équipe d'étoiles :	6 (1975, 1976, 1977, 1978, 1979, 1980)
Nominations – 2ᵉ équipe d'étoiles :	0
Coupes Stanley :	5
Ce qu'on dira de lui :	Combinant style, grâce et habileté, Lafleur a contribué à la gloire des Canadiens.

Mais au faîte de sa gloire, Lafleur a failli perdre la vie. En effet, le 24 mars 1981, il s'est endormi au volant de sa voiture, qui s'est écrasée contre un poteau. Il aurait pu être décapité, mais il s'en est tiré avec un lobe d'oreille déchiré, qui a nécessité de la chirurgie plastique. Il est ressorti fortement ébranlé par cette expérience. « Je me sens bien… et très chanceux, a-t-il dit à *The Hockey News* en avril. Je crois que le destin m'a envoyé un message. »

Mais la chance de Lafleur a alors tourné, tout comme celle des Canadiens. Sa performance a commencé à piquer du nez. Et en 1984-85, après 19 matchs et 5 points au total, il a profondément déçu les fans du Tricolore en annonçant qu'il prenait sa retraite. Le fait qu'on ait considérablement réduit son « temps de glace » l'a aidé à prendre cette décision. « Je n'arrivais pas à remonter la pente, dit-il. Et après 13 ans de carrière, je ne pouvais pas accepter d'être deuxième. »

Lafleur n'a cependant pas quitté définitivement le monde du hockey. Après son intronisation au Temple de la renommée en 1988, il n'a pu résister à l'envie de reprendre le jeu et a signé un contrat avec les Rangers de New York. Désavantagé par une blessure à la cheville, il n'a accumulé que 45 points, dont 18 buts, en 1988-89. Il est ensuite rentré au Québec et a joué pour les Nordiques de Québec jusqu'en 1991, année où il a mis fin à sa carrière.

Jusqu'à ce jour, Lafleur est le joueur des Canadiens de Montréal ayant accumulé le plus de points (1 246) et de passes (728), bien qu'il ait participé à beaucoup moins de matchs que les cinq joueurs qui le suivent.

De façon générale, Lafleur ne regrette rien et est satisfait de sa carrière. « Je suis fier de ce que j'ai fait, dit-il. Je suis fier d'avoir joué pour les Canadiens, surtout quand on a remporté nos cinq Coupes Stanley. »

– AP

14

Denis Potvin

De la lignée des grands défenseurs

O utre ses quatre Coupes Stanley, ses trois trophées Norris, son trophée Calder et sa plaque du Temple de la renommée, ce qui est le plus frappant dans la carrière de Denis Potvin, c'est probablement la constance. Il a joué un peu plus de cinq ans pour les 67's d'Ottawa (ligue ontarienne de hockey junior) et 15 ans pour les Islanders de New York, et il en est à sa 14e saison comme commentateur des Panthers. « Je suis quelqu'un de loyal », dit Potvin, l'un des plus grands défenseurs de son temps.

Même aujourd'hui, on est pratiquement certain d'entendre au moins une fois « Potvin sucks ! » (À bas Potvin !) dans les gradins du Madison Square Garden lorsque les Rangers affrontent les Islanders, une tradition qui remonte à 1978-79. Au cours d'un match opposant les deux équipes new-yorkaises cette année-là, Potvin avait fracturé la cheville d'Ulf Nilsson des Rangers en lui faisant une mise en échec tout à fait légale selon la plupart des observateurs. La foule s'était alors mise à scander ce qui deviendrait un célèbre slogan.

« J'imagine que c'est un autre élément de stabilité dans ma carrière, dit-il en riant. Au début, ce n'était pas facile à avaler parce que c'était méchant et haineux. Mais avec le temps, ç'a fait partie de ma légende. Avec le recul, on comprend mieux le contexte de l'époque et ce que ce genre d'insulte signifiait. Les fans étaient passionnés par la rivalité entre les Islanders et les Rangers. On la compare à celle qui oppose les Yankees et les Red Sox aujourd'hui. Il y a de quoi être fier, non ? »

En réalité, Potvin a surtout de quoi être fier de sa performance. Statistiques à l'appui, il surpasse 99 % de ses pairs. Au moment de sa retraite, il était en effet le défenseur ayant enregistré le plus de points dans toute l'histoire de la LNH. Et, ce qui n'est pas négligeable, il a été sous le feu des projecteurs dès le début de sa carrière.

« J'ai dû m'habituer très jeune à la pression, dit le tout premier choix des Islanders au repêchage de 1973. Le lendemain de mon premier match chez les juniors, les journaux disaient que j'étais le prochain Bobby Orr. J'avais 14 ans à l'époque, et moi, tout ce que je voulais, c'était de jouer au hockey.

« Mais la pression ne m'a pas nui. D'une certaine façon, j'en avais besoin. Quand on m'invitait à faire la fête la veille d'un match, j'y repensais à deux fois avant d'accepter. Je voulais être bien préparé. Je me sentais responsable envers mon équipe. Et comme le disait Eddie Westfall : 'Pourquoi jouer si on ne pense pas gagner ?' »

> « J'ai joué au hockey uniquement parce que j'aimais vraiment ça et que c'était pour moi la meilleure façon de m'exprimer. »
>
> **– Denis Potvin**

Potvin a été capitaine des Islanders pendant huit ans, y compris pendant leur époque glorieuse (1980-83). Dès 1974-75, il les a aidés à se rendre en demi-finale contre les Flyers, une remontée spectaculaire pour une équipe qui avait subi 60 défaites lors de sa première saison dans la LNH, 2 ans plus tôt.

Les Islanders ont réussi à se rendre en demi-finale à trois autres reprises jusqu'en 1979. Mais c'est en 1980, après six petites défaites en quatre rondes d'éliminatoires, qu'ils ont raflé leur première Coupe Stanley. Ils ont remis ça les trois saisons suivantes. Pour Potvin, cette série d'exploits découle d'une combinaison de deux facteurs : la volonté de gagner des joueurs et la volonté de la direction du club de maintenir les meilleurs éléments au sein de l'équipe.

« On avait tissé des liens très étroits entre nous, dit le natif de Hull, au Québec. Chaque joueur avait un rôle à assumer : (Bryan) Trottier, moi, (Mike) Bossy et tous ceux qui ne devaient pas avoir peur des contacts physiques. On comptait les uns sur les autres, et on ne voulait pas se décevoir les uns les autres. Et si on a été une très, très bonne équipe pendant une dizaine d'années, c'est en partie parce qu'on nous avait permis de l'être. »

Potvin a fait partie d'une autre excellente équipe sur la scène internationale. « J'ai un souvenir inoubliable de la Coupe Canada 1976, dit-il. C'était la première fois que je représentais le Canada à l'échelle mondiale. J'ai vécu de grandes émotions cette année-là. À 23 ans, je venais de remporter le trophée Norris, que Bobby Orr détenait depuis 8 ans, et je me suis retrouvé avec la défense avec lui sur l'équipe nationale.

« J'entends encore Bobby Hull dire qu'il n'avait jamais joué dans une meilleure équipe que celle de 1976. C'était vraiment quelque chose d'être là avec mes idoles. Ç'a été une expérience fantastique. »

Avec l'existence qu'il a menée, on ne s'étonne pas de voir que Potvin est maintenant l'un des plus extraordinaires ambassadeurs du hockey dans le cadre de son travail pour les Panthers. « Pour rien au monde je ne changerais ma vie, dit-il. Et je referais les mêmes choix. J'ai joué au hockey uniquement parce que j'aimais vraiment ça et que c'était pour moi la meilleure façon de m'exprimer. Le hockey a été au cœur de mon existence pendant 20 ans. On a été chanceux de vivre à une époque où, selon moi, il était à son meilleur. »

– AP

Denis Potvin, défenseur
Né le 29 octobre 1953

Carrière au sein de la LNH :	1973-88
Équipes :	Islanders de NY
Fiche (saisons régulières) :	310 buts, 742 passes, 1 052 points en 1 060 matchs
Fiche (séries éliminatoires) :	56 buts, 108 passes, 164 points en 185 matchs
Trophées :	
• Calder	1 (1974)
• Norris	3 (1976, 1978, 1979)
Nominations – 1re équipe d'étoiles :	5 (1970, 1972, 1974, 1976, 1978)
Nominations – 2e équipe d'étoiles :	2 (1971, 1973)
Coupes Stanley :	4
Ce qu'on dira de lui :	Défenseur émérite, il savait patiner, compter, faire des passes et frapper.

15

Bobby Clarke

Le phénomène de Philadelphie

À 17 ans, Bobby Clarke était déjà ouvrier à la Hudson Bay Mining and Smelting Company de Flin Flon, au Manitoba. Le jour, il s'enfonçait dans les sombres profondeurs de la mine, tandis que le soir, il brillait sur la patinoire.

Clarke n'allait au boulot que le matin. L'après-midi, il s'entraînait avec ses compagnons de travail qui étaient aussi ses coéquipiers au hockey, les Bombers de Flin Flon. « Et on se faisait payer pour une journée complète, dit Clarke. C'était le paradis. »

Clarke aurait passé ainsi sa vie à Flin Flon s'il n'avait pas été sélectionné au 17e rang du repêchage de 1969 par les Flyers de Philadelphie (ironiquement, leur premier choix, Bob Currier, n'a jamais joué dans la LNH). Il avait un travail assuré, il gagnait un bon salaire et tous les vendredis soir, il fêtait avec ses copains. Bref, il était satisfait de son existence. « Naturellement, je voulais jouer au hockey parce que j'adorais ça, dit Clarke. Mais c'est tout. Je n'avais pas de plan à long terme. »

Clarke aurait pu ne jamais être admis au sein de la LNH, car il souffrait de diabète. Mais grâce à sa détermination et à son caractère impitoyable, il y est resté pendant 15 ans. Mais ce ne serait pas lui rendre justice que d'attribuer son succès à sa seule ténacité. Attaquant talentueux, il avait une excellente compréhension du jeu. Beaucoup de joueurs feraient bien des bassesses pour participer à un seul match de la LNH, mais peu d'entre eux seraient assez bons pour accumuler plus de 1 200 points, remporter 2 Coupes Stanley et être admis au Temple de la renommée. En fait, avec Sergei Fedorov,

Clarke est le seul joueur à avoir remporté à la fois le trophée Hart (joueur le plus utile en saison régulière) et le trophée Selke (meilleur attaquant ayant démontré le plus de compétence défensive).

Si on a douté du talent de Clarke, c'est en partie parce qu'il était la figure de proue du jeu brutal, violent et terrifiant qu'ont pratiqué les Broad Street Bullies* pendant les finales de la Coupe Stanley en 1974 et en 1975. Mais il se servait de son bâton pour faire autre chose que des mises en échec. Il a inscrit le plus grand nombre de passes de tous les joueurs de la LNH à 2 reprises, et il a enregistré plus de 100 points pendant 3 saisons.

> « Aucun autre capitaine n'a eu plus d'impact que lui sur son équipe. »
>
> – Joe Watson

Du reste, cet attaquant n'a jamais cherché à cacher son tempérament fougueux. Après avoir marqué son 300e but en carrière, en 1981, il a levé son bâton et s'est exclamé : « Regardez. C'est comme ça que je manie le bâton. »

Clarke avait acquis son style bien avant que Fred Shero soit embauché comme entraîneur par les Flyers en 1971. « En fin de compte, dit Clarke, on jouait exactement comme chez les juniors. Patty Ginnell (l'entraîneur des Bombers de Flin Flon) nous donnait comme consigne de nous emparer de la rondelle à tout prix. On jouait donc avec beaucoup d'intensité pendant 60 minutes. Et c'est vrai qu'on était plutôt impitoyables. Pat m'a beaucoup influencé. »

Ce tempérament agressif a toutefois produit chez Clarke une dose inégalée de courage, de discipline et de détermination. Son sens du leadership est légendaire. « Aucun autre capitaine n'a eu plus d'impact que lui sur son équipe », a déclaré un jour son coéquipier Joe Watson.

Au dire de sa femme, le plat favori de Clarke était le hot dog relish-moutarde. En tant que capitaine des Flyers, il n'était guère plus compliqué. Il préférait guider par l'exemple et avait du cœur au ventre. À un moment donné durant la saison 1972-73, les médecins lui ont recommandé de se reposer pendant quelques jours pour lui permettre d'augmenter sa numération globulaire rendue trop basse à cause du diabète. Il s'est tout de même présenté à la séance d'entraînement. Shero a dû le menacer d'une amende pour qu'il rentre chez lui.

« Un joueur de hockey peut toucher 500 $ pour accepter de signer des autographes pendant une heure, déclarait Clarke au faîte de sa carrière. Et il reçoit toutes sortes de cadeaux : des voitures, des vêtements, etc. En échange, il doit faire des efforts pendant 2 heures,

---

* Surnom donné aux Flyers de Philadelphie durant les années 70. Littéralement, les « hommes de main de Broad Street ».

80 soirs par année. Ça me fait toujours rire d'entendre les gens dire que les joueurs travaillent fort. C'est ce qu'ils sont tous censés faire, non ? » Il a conservé la même vision et la même attitude lorsqu'il est passé du côté de la direction chez les Flyers.

Sur la scène internationale, Clarke a fait sa marque tant au propre qu'au figuré. S'il a fracturé la cheville de l'étoile soviétique Valery Kharlamov lors de la Série du siècle de 1972, il a aussi fait partie de l'équipe qui a remporté la Coupe Canada en 1976, de l'Équipe des étoiles qui a participé au tournoi de la Challenge Cup en 1981 et, vers la fin de sa carrière, de l'équipe qui représentait le Canada lors du Championnat du monde du hockey sur glace.

D'ailleurs, en 1976, Clarke a dû faire équipe avec l'entraîneur des Canadiens de Montréal, Scotty Bowman, qui l'avait traité de « joueur le plus salaud de la LNH ». Mais c'est le même Bowman qui a complimenté Clarke en disant : « Prenez (Gilbert) Perreault et je prendrai Clarke, et je vous battrai. »

– KC

Bobby Clarke, centre
Né le 13 août 1949

Carrière au sein de la LNH :	1969-84
Équipes :	Philadelphie
Fiche (saisons régulières) :	358 buts, 852 passes, 1 210 points en 1 144 matchs
Fiche (séries éliminatoires) :	42 buts, 77 passes, 119 points en 136 matchs
Trophées :	
• Hart	3 (1973, 1975, 1976)
• Masterton	1 (1972)
• Pearson	1 (1973)
• Selke	1 (1983)
Nominations – 1re équipe d'étoiles :	2 (1975, 1976)
Nominations – 2e équipe d'étoiles :	2 (1973, 1974)
Coupes Stanley :	2
Ce qu'on dira de lui :	L'intrépide capitaine de l'équipe la plus coriace de la LNH à avoir remporté la Coupe Stanley.

16

Paul Coffey

Le vagabond

Paul Coffey a contribué à la gloire des Oilers d'Edmonton dans les années 80, a remporté quatre Coupes Stanley et trois trophées Norris, et, à ce jour, est encore le deuxième meilleur compteur parmi les défenseurs.

S'il est fier de ces récompenses, il l'est tout autant du professionnalisme dont il a fait preuve jusqu'à la fin de sa longue carrière. C'est ce qui lui a permis d'aimer le hockey même après 21 saisons.

« Je ne voulais pas prendre ma retraite en ayant du ressentiment, dit le natif de Malton, en Ontario. Vers la fin de ma carrière, c'est la seule décision que j'ai prise. J'ai trop vu de joueurs quitter le hockey amers. C'est un sport génial qui m'a beaucoup apporté. Je voulais rester positif en toutes circonstances et ne pas prendre les choses personnellement. »

Reconnu pour son coup de patin magistral et ses passes avant inégalées, Coffey est entré dans la LNH en 1980-81. La jeune recrue a mis un certain temps avant d'accepter son rôle de défenseur doué pour compter des points.

« Si j'ai eu un peu de difficulté durant mes premiers mois dans la LNH, dit Coffey, c'est entre autres parce que j'ai lu ce qu'on disait de moi dans les journaux – une chose qu'une recrue ne devrait jamais faire. Quand un joueur sait patiner, faire des passes et tirer au but, les gens doivent bien trouver quelque chose à redire. Et dans mon cas, c'était que je ne pouvais pas jouer à la défense. Alors, j'ai tenté de prouver que j'en étais capable. Mais à un moment donné, j'ai cessé d'essayer de faire mes preuves, et je me suis mis à jouer comme j'étais censé le faire. »

Paul Coffey, défenseur

Né le 1er juin 1961

Carrière au sein de la LNH :	1980-2001
Équipes :	Edmonton, Pittsburgh, Los Angeles, Detroit, Hartford, Philadelphie, Chicago, Caroline, Boston
Fiche (saisons régulières) :	396 buts, 1 135 passes, 1 531 points en 1 409 matchs
Fiche (séries éliminatoires) :	59 buts, 137 passes, 196 points en 194 matchs
Trophées :	
• Norris	3 (1985, 1986, 1995)
Nominations – 1re équipe d'étoiles :	4 (1985, 1986, 1989, 1995)
Nominations – 2e équipe d'étoiles :	4 (1982, 1983, 1984, 1990)
Coupes Stanley :	4
Ce qu'on dira de lui :	Son prodigieux coup de patin et son instinct d'attaquant ont fait de lui un défenseur exceptionnel.

À la fin de sa deuxième saison, Coffey avait accumulé 89 points dont 60 passes, la meilleure performance pour un défenseur. Deux ans plus tard, il a inscrit 126 points, dont 40 buts, et remporté sa première Coupe. En 1984-85, il a raflé une autre Coupe et a été élu le meilleur défenseur de la ligue. Puis, il a obtenu son deuxième trophée Norris.

Coffey attribue ces succès aux attentes que ses coéquipiers et la direction des Oilers nourrissaient à son endroit. «On s'encourageait les uns les autres», dit celui qui demeure le défenseur qui a enregistré le plus de points pendant les séries éliminatoires et qui, en 1 409 matchs en saison régulière, a accumulé 1 531 points, dont 396 buts.

«C'est de notoriété publique, poursuit Coffey. On s'entendait à merveille et on faisait équipe avec celui qui est probablement le meilleur joueur de toute l'histoire du hockey (Wayne Gretzky). Mais ça ne veut pas dire qu'on ne travaillait pas fort. On ne se reposait pas sur nos lauriers.

«Glen Sather (entraîneur et DG) savait comment nous prendre. On était jeunes et forts. Il a compris qu'on avait besoin d'être menés avec de la poigne. Mais il nous a permis d'avoir chacun notre style sur la patinoire.»

Tout comme ses coéquipiers des Oilers, Coffey avait soif d'apprendre. « J'avais hâte d'affronter les Islanders de New York et les Canadiens de Montréal pour voir de plus près le jeu de Larry Robinson et de Denis Potvin, dit-il. Je n'ai jamais eu la chance de jouer contre Bobby Orr, mais je pense que je n'aurais même pas été sur la patinoire ; je me serais contenté de le regarder. »

En 1987, Coffey n'a pas réussi à s'entendre avec la direction des Oilers. Et il n'a participé à aucun match jusqu'à ce qu'il soit échangé avec deux de ses coéquipiers contre quatre joueurs de Pittsburgh.

> « On était jeunes et forts. On avait besoin d'être menés avec de la poigne. »
>
> – Paul Coffey

Une fois Coffey établi dans la ville de l'acier, il a offert une performance plus qu'honorable. Il a dépassé le cap des 100 points en 1988-89 et en 1989-90, et a aidé les Penguins à remporter leur première Coupe la saison suivante.

Moins d'un an plus tard, Coffey était cédé à Los Angeles. Cette transaction a marqué le début d'une période éprouvante pour le défenseur : en dix ans il a joué pour non moins de sept équipes. C'est à cette époque qu'il a compris le véritable sens du mot « professionnalisme ».

« Mon père m'avait prévenu : j'étais le genre de joueur qu'on voulait dans une formation défensive », dit celui qui a joué avec les Kings, les Red Wings, les Whalers, les Flyers, les Blackhawks, les Hurricanes et les Bruins avant de prendre sa retraite en 2000, d'être admis au Temple de la renommée en 2004 et de poursuivre une carrière dans les affaires à Toronto.

« Vers la fin de ma carrière, on n'a pas arrêté de m'échanger et j'étais souvent laissé sur le banc, poursuit Coffey. J'ai alors pensé qu'on me testait. Je ne savais pas qui le faisait, mais j'étais convaincu qu'on me mettait à l'épreuve. Il fallait donc que j'agisse en professionnel. Quand je jouais pour les Flyers de Philadelphie, l'entraîneur adjoint Keith Acton m'a dit à un moment donné qu'ils devaient me faire patiner. "Keith, lui ai-je répondu, dis-moi où aller et j'irai. Je ne discuterai pas. Fais ton boulot. Fais-moi patiner comme un malade. Si je ne joue pas, je ne serai pas mieux qu'un joueur qui vient de débarquer dans la ligue." Dans le monde du hockey, tu es constamment mis à l'épreuve. Si je m'étais comporté comme un con pendant mes trois ou quatre dernières années de carrière, ma réputation en aurait souffert. En fin de compte, la réputation, c'est extrêmement important, c'est la seule chose qui t'appartient vraiment. »

– AP

17

Dominik Hasek

Non conformiste
et invincible

Originaire de Pardubice, en Tchécoslovaquie, Dominik Hasek n'aurait jamais cru qu'il deviendrait l'un des gardiens de but les plus récompensés de la LNH, et qu'à plus de 40 ans passés, il serait encore un joueur d'élite. Mais aujourd'hui, il n'arrive pas à imaginer sa vie sans le hockey.

« Vous savez, dit Hasek, récipiendaire d'une Coupe Stanley et de six trophées Vézina, je ne savais même pas que la LNH existait quand j'étais jeune. On n'avait pas de satellite à l'époque, pas de vidéos non plus, et on n'en parlait pas dans les journaux tchèques. Tout ce que je savais, c'est qu'on jouait au hockey au Canada. »

Celui qu'on a surnommé le « Dominator » visait plutôt la scène internationale. Il a donc représenté la Tchécoslovaquie aux tournois de la Coupe Canada de 1984 et de 1987, ainsi qu'aux Jeux olympiques de 1988.

Bien qu'il ait été sélectionné par les Blackhawks de Chicago au 207e rang du repêchage de 1983, Hasek n'a pu venir en Amérique du Nord que 7 ans plus tard. À l'époque de la Guerre froide, il était pratiquement impossible pour les Européens de l'Est de traverser le Rideau de fer. La carrière du Tchécoslovaque au sein de la LNH a donc débuté au début des années 90, mais plutôt doucement : en tant que gardien de réserve pour les Blackhawks, il remplaçait occasionnellement Ed Belfour, le gardien partant.

> « La médaille d'or des Jeux olympiques et la Coupe Stanley sont mes deux plus grands exploits. Je les mets sur un pied d'égalité. »
>
> **– Dominik Hasek**

Hasek a vu ses perspectives s'améliorer grandement lorsque Chicago l'a cédé à Buffalo en 1992. En faisant de lui leur gardien partant, les Sabres lui ont témoigné le respect qu'il méritait. « Au camp d'entraînement de Buffalo, on m'a demandé quel numéro je voulais sur mon chandail, dit Hasek, chose qu'on avait jamais faite en deux ans à Chicago. J'ai commencé à croire que Buffalo était peut-être le bon endroit pour moi. »

Hasek a joué pour les Sabres de Buffalo pendant neuf ans. C'est là qu'il est devenu célèbre grâce à son style peu orthodoxe. Dès sa deuxième saison, il enregistrait 30 victoires, 20 défaites, 6 matchs nuls et une moyenne record des buts alloués de 1,95 ; c'est également cette année-là qu'il a obtenu son premier Vézina. Entre 1996 et 1998, il a inscrit 70 victoires, 43 défaites, 23 matchs nuls, 2 autres trophées Vézina et 2 trophées Hart. Il est le deuxième gardien de but à avoir reçu le trophée du joueur le plus utile en saison régulière – l'autre étant Jacques Plante, en 1962 – mais le seul à l'avoir remporté deux saisons d'affilée.

Dominik Hasek, gardien de but
Né le 29 janvier 1965

Carrière au sein de la LNH :	1991-…
Équipes :	Chicago, Buffalo, Detroit, Ottawa
Fiche (saisons régulières) :	362 victoires, 213 défaites, 82 matchs nuls, moyenne des buts alloués de 2,21, 76 blanchissages en 694 matchs
Fiche (séries éliminatoires) :	63 victoires, 47 défaites, moyenne des buts alloués de 1,99, 14 blanchissages en 115 matchs
Trophées :	
• Hart	2 (1997, 1998)
• Jennings	2 (1994, 2001)
• Pearson	2 (1997, 1998)
• Vézina	6 (1994, 1995, 1997, 1998, 1999, 2001)
Nominations – 1re équipe d'étoiles :	6 (1994, 1995, 1997, 1998, 1999, 2001)
Nominations – 2e équipe d'étoiles :	0
Coupes Stanley :	1
Ce qu'on dira de lui :	Le plus grand gardien de but européen de l'histoire de la LNH.

La carrière internationale de Hasek n'est pas moins glorieuse. Sa participation aux Jeux olympiques de 1998 à Nagano, au Japon, est mémorable. En demi-finale, il a résisté à un tir en fusillade, permettant ainsi à la République Tchèque d'éliminer l'équipe favorite, le Canada, tandis qu'en finale, il n'a accordé que deux buts à la Russie. Outre la médaille d'or, sa performance lui a valu le titre de meilleur gardien de but du tournoi.

Hasek est extrêmement fier de cette médaille. « La médaille d'or des Jeux olympiques et la Coupe Stanley sont mes deux plus grands exploits, dit-il. Je les mets sur un pied d'égalité, même si elles sont de nature différente : la première récompense un effort très limité dans le temps, tandis que la deuxième couronne le travail de toute une saison. »

Mais tout n'a pas toujours été rose pour Hasek à Buffalo. En 1997, il a été à couteaux tirés avec l'entraîneur Ted Nolan et les médias, qui remettaient en question la profondeur de son engagement envers l'équipe. Et lors des finales de la Coupe Stanley en

1999, c'est lui qui défendait le filet des Sabres lors d'un but controversé des Stars de Dallas, qui leur a valu la victoire. Cette amère défaite se combinant à différents facteurs (dont son âge, ses multiples blessures à l'aine et la restructuration du club), il a demandé à être échangé en 2001.

« À l'époque, dit le gardien, je n'avais pas l'impression que la direction des Sabres voulait améliorer l'équipe. Je me suis dit que je n'avais pas vraiment de chance de remporter la Coupe si je restais à Buffalo. Il fallait donc que je m'en aille. En fin de compte, ç'a été une bonne décision. Mais je n'avais rien contre les Sabres ni la ville de Buffalo en soi. J'ai de magnifiques souvenirs de cette période de ma carrière. C'est vraiment le désir de remporter le championnat qui a motivé ma décision. »

Les faits ont donné raison à Hasek. En 2001-02 avec les Red Wings de Detroit, il a remporté un record personnel de 41 matchs en saison régulière, tandis qu'il a enregistré 16 victoires, 7 défaites et 6 blanchissages ainsi qu'une moyenne des buts alloués de 1,86 durant les éliminatoires. À l'âge de 37 ans, il a enfin vu son nom gravé sur la Coupe. « Remporter les éliminatoires procure un sentiment incroyable, dit-il. Tu t'entraînes pour gagner, et chaque année, tu espères que ça va arriver, mais quand ça arrive pour vrai, ça dépasse tout ce que tu avais imaginé. »

Bien qu'Hasek ait décidé de prendre sa retraite à la fin de la saison 2001-02, sa fibre compétitive s'est réveillée et il a repris du service en 2003-04. Après le lockout de 2004-05, il a signé un contrat avec les Sénateurs d'Ottawa, où il a réalisé une performance plus qu'honorable jusqu'à ce qu'une blessure infligée lors des Olympiques de 2006 mette un terme à sa saison.

En 2006-07, les Red Wings ont décidé de miser à nouveau sur Hasek en lui offrant un contrat d'un an. Le temps ne semble avoir aucun effet sur le quadragénaire puisqu'il a enregistré 38 victoires, 11 défaites et 6 matchs nuls ainsi qu'une moyenne des buts alloués de 2,05.

Hasek estime que sa résistance vient du fait qu'il a le feu sacré.

« Il faut avoir du talent pour entrer dans la LNH, mais il faut autre chose pour durer, dit Hasek. Il faut être très, très compétitif. Sinon, tu ne peux pas réussir comme gardien de but. »

– AP

18

Larry Robinson

Un oiseau rare

Larry Robinson a souvent attiré l'attention au cours de sa carrière à la LNH. Et pour cause, non seulement il patrouillait efficacement la ligne bleue, mais il avait un physique assez imposant: 1,93 m sans patins. Mais ça ne l'a pas toujours aidé.

« Quand tu as la stature d'un gars comme Chris Pronger ou moi, tu ressors beaucoup plus sur la patinoire, dit celui qui a remporté six Coupes Stanley à titre de joueur et d'entraîneur. La moindre erreur est amplifiée. » Le moindre exploit aussi.

Le jeu défensif de Robinson a largement contribué à la gloire des Canadiens à la fin des années 70. Mais ironie du sort, ce sont surtout ses attaques qui ont fait la manchette. « Je crois que les perspectives des défenseurs ont changé avec le temps, dit Robinson. À l'époque, les gens n'en faisaient pas grand cas, à l'exception de Rod Langway. Mais je n'ai jamais eu de différentiel négatif, et j'en suis très fier. C'était important pour moi de jouer comme je l'entendais. »

Né en 1951, Robinson a grandi sur une ferme laitière de Winchester, en Ontario. Il jouait pour les Rangers de Kitchener lorsqu'il a été sélectionné par les Canadiens au 20e rang du repêchage de 1971. Il a passé les deux premières années de sa carrière de hockeyeur professionnel avec les Voyageurs de la Nouvelle-Écosse, qui ont obtenu la Coupe Calder en remportant le championnat de la Ligue américaine de hockey en 1972. Lorsqu'il a intégré les rangs de l'équipe montréalaise un an plus tard, il a battu les Blackhawks de Chicago en finale et raflé la Coupe Stanley.

> « C'était la réputation que j'avais. Il ne fallait pas me provoquer, car je jouais mieux quand j'étais enragé. »
>
> **– Larry Robinson**

« Une Coupe Calder suivie d'une Coupe Stanley, dit Robinson. Pas mal du tout pour démarrer une carrière. » Malgré ce succès précoce, Robinson a appris que la victoire n'était pas toujours facile.

« Au début, je me suis dit que ce n'était pas si compliqué, dit Robinson. Mais à force de jouer et aussi comme entraîneur, je me suis rendu compte à quel point c'était difficile. Je l'ai particulièrement compris quand j'ai vu un vétéran comme Ray Bourque connaître la gloire juste avant de prendre sa retraite, en 2001. J'aurais aimé remporter le championnat une deuxième année d'affilée comme coach du New Jersey, mais ça m'a consolé de voir Bourque et Robbie Blake, des joueurs que j'admire beaucoup, gagner enfin leur première Coupe. »

Larry Robinson, défenseur
Né le 2 juin 1951

Carrière au sein de la LNH :	1972-92
Équipes :	Montréal, Los Angeles
Fiche (saisons régulières) :	208 buts, 750 passes, 958 points en 1 384 matchs
Fiche (séries éliminatoires) :	28 buts, 116 passes, 144 points en 227 matchs
Trophées :	
• Norris	2 (1977, 1980)
• Conn Smythe	1 (1978)
Nominations – 1re équipe d'étoiles :	3 (1977, 1979, 1980)
Nominations – 2e équipe d'étoiles :	2 (1978, 1981)
Coupes Stanley :	6
Ce qu'on dira de lui :	Un géant de l'époque glorieuse des Canadiens.

Sur la scène internationale, Robinson a participé à trois tournois de la Coupe Canada, mais c'est celui de 1976 qui l'a le plus marqué, car il a eu la chance d'y côtoyer ses idoles de jeunesse.

« Bobby Hull était mon camarade de chambre, tandis que Bobby Orr jouait avec moi à la défense, dit-il. Qu'est-ce qu'un jeune fermier pouvait demander de plus ? Les Coupes Stanley sont mes plus belles récompenses parce qu'elles couronnent toute une saison, mais la Coupe Canada de 1976 signifie beaucoup pour moi. »

À l'époque où Montréal était pratiquement la Mecque de la LNH, Robinson était le plus dangereux membre du « Big Three », le fameux trio de défenseurs du Tricolore qu'il formait avec Serge Savard et Guy Lapointe, qui sont également ses compagnons aux Temple de la renommée.

Contrairement à d'autres joueurs, Robinson ne craignait pas la pression. « Je ne veux pas appeler ça de la pression, dit-il, parce que pour moi, c'était plutôt une discipline que je m'imposais à moi-même. Mais on sentait quand même qu'il fallait être à la hauteur de la tradition des Canadiens de Montréal. Ç'a permis à certains joueurs de s'épanouir, mais ça en a détruit d'autres.

« Honnêtement, je crois que je n'aurais pas eu la carrière que j'ai eue si j'avais joué ailleurs, poursuit le récipiendaire de deux trophées Norris et d'un trophée Conn Smythe. Faire partie des Canadiens de Montréal était toute une affaire. Même les joueurs des autres équipes venaient nous voir nous entraîner parce c'était comme un match. Mais il fallait toujours maintenir notre performance. Ça prenait une énergie spéciale. »

Certains percevaient la nature accommodante de Robinson, surnommé affectueusement « Big Bird », comme un signe de faiblesse. Mais s'il se mettait en colère, il se transformait alors du tout au tout, un peu comme le Dʳ Bruce Banner dans *L'incroyable Hulk*.

« C'était la réputation que j'avais, confirme-t-il. Il ne fallait pas me provoquer, car je jouais mieux quand j'étais enragé. Apparemment, j'avais le même style comme entraîneur. On a déjà dit que je ne serais pas un bon coach parce que j'avais trop bon caractère. Eh bien, j'ai une Coupe Stanley pour prouver le contraire. »

Robinson a gagné sa dernière Coupe avec le Tricolore en 1986. Puis, il a quitté Montréal pour passer les trois dernières années de sa carrière avec les Kings de Los Angeles. Il attribue une partie de son succès en tant qu'entraîneur à son expérience de joueur. « Je n'étais pas comme ceux qui jouent uniquement d'instinct, dit-il. Une bonne partie de mon jeu était naturelle, mais je pensais aussi à mon affaire. Ça aidait. »

– AP

19

Bryan
Trottier

L'homme
à tout faire

En 1974, la LNH craignait tellement que sa rivale l'Association mondiale de hockey recrute des mineurs, qu'elle a permis à chacune de ses équipes de repêcher 2 joueurs de moins de 18 ans. (Elle a également organisé en secret un repêchage par conférence téléphonique pour éviter tout braconnage de la part de l'AMH.)

Bryan Trottier, qui n'avait pas encore atteint l'âge de la majorité, aurait donc pu être repêché par n'importe quelle équipe de ces deux ligues. Mais puisqu'il était méconnu, il n'a été sélectionné qu'au 22e rang du repêchage de la LNH par les Islanders. L'équipe new-yorkaise a d'ailleurs fait preuve de sagesse en retenant ses services par contrat, avant de le renvoyer jouer chez les juniors pendant une autre année.

> **« C'est beaucoup plus difficile de jouer contre Trottier que contre Wayne Gretzky. »**
>
> **– Bobby Clarke**

Si Wayne Gretzky était remarquable par son allant et sa grâce, et si Mario Lemieux avait du talent à revendre, Bryan Trottier était sans doute le joueur le plus polyvalent et le plus consciencieux de sa génération. En toutes circonstances, il pouvait surpasser tous les autres joueurs sur la patinoire.

« C'est beaucoup plus difficile de jouer contre Trottier que contre Wayne Gretzky, a dit un jour Bobby Clarke, le joueur étoile des Flyers. Bryan est beaucoup plus physique. Il n'a pas peur de frapper. Et il le fait aussi bien que tout le reste. »

Quand il était adolescent dans sa banlieue d'Ottawa, Steve Yzerman, l'un des plus grands leaders du hockey, admirait tellement Trottier qu'il a choisi de porter le même numéro que lui et l'a pris comme modèle. « Wow ! s'exclame le numéro 19. C'est tout un compliment. Mais Steve Yzerman jouait beaucoup mieux que moi. Il comptait plus de buts et savait mieux maîtriser la rondelle. »

Les joueurs avec qui Trottier a croisé le fer pendant le règne glorieux des Islanders sont d'un autre avis. Non seulement il était bourré de talent, disent-ils, mais il était assidu à la tâche. Cette éthique professionnelle, il l'avait acquise à la ferme familiale de Val Marie, en Saskatchewan, un milieu où le travail a toujours la priorité. Quant à son jeu, il l'avait mis au point sur la rivière Frenchman, près de chez lui, plutôt qu'au sein des structures rigides du hockey mineur.

Bryan Trottier, centre
Né le 17 juillet 1956

Carrière au sein de la LNH :	1975-94
Équipes :	Islanders de NY, Pittsburgh
Fiche (saisons régulières) :	524 buts, 901 passes, 1 425 points en 1 279 matchs
Fiche (séries éliminatoires) :	71 buts, 113 passes, 184 points en 221 matchs
Trophées :	
• Art Ross	1 (1979)
• Calder	1 (1976)
• Conn Smythe	1 (1980)
• Clancy Memorial	1 (1989)
• Hart	1 (1979)
Nominations – 1re équipe d'étoiles :	2 (1978, 1979)
Nominations – 2e équipe d'étoiles :	2 (1982, 1984)
Coupes Stanley :	6
Ce qu'on dira de lui :	Il a gagné quatre Coupes Stanley : deux comme joueur étoile des Islanders et deux autres comme spécialiste de la mise en échec des Penguins.

« L'été, à la ferme, il faut absolument faire les foins, a dit Trottier au début de sa première saison. C'est la seule pression qu'on a, mais elle est absolue. C'est ce que j'ai fait pour me préparer cette saison. » Ça lui a plutôt réussi puisqu'il a battu le record de Marcel Dionne pour le nombre de points comptés par une recrue, et a remporté le trophée Calder.

Trottier a joué pendant 15 ans pour les Islanders, formant la plupart du temps un trio du tonnerre avec Clarke Gillies et Mike Bossy. Lors de son premier match à New York, il a accompli un tour du chapeau et compté cinq points. C'était un des rares joueurs dont la fougue n'avait d'égale que la compétence. « Il a un instinct qu'on ne peut pas enseigner aux autres », a dit un jour Bill Torrey, le DG des Islanders.

Lemieux, Gretzky, Joe Sakic, Mark Messier, Guy Lafleur, Bobby Orr et Bryan Trottier sont les seuls joueurs à avoir obtenu à la fois le trophée Hart et le trophée Conn Smythe durant leur carrière. Trottier détient le record du nombre de points et de passes des Islanders, et lors des éliminatoires de 1980, de 1981 et de 1982, il a marqué des points pendant 27 matchs d'affilée, un des rares records que Gretzky n'a pas battu (avec son enfilade de 19 matchs, il se classe deuxième).

Les qualités d'attaquant de Trottier ont commencé à décliner vers la fin des années 80. Les Islanders n'ont pas hésité à le libérer de son contrat après la saison 1989-90, car les joueurs de la relève tels que Pat LaFontaine et Brent Sutter étaient impatients de se voir confier plus de responsabilités. Les Penguins de Pittsburgh ont alors été heureux d'offrir un contrat de joueur autonome à ce défenseur chevronné qui faisait preuve de leadership et d'efficacité en désavantage numérique. Trottier a remporté deux autres Coupes Stanley avec les Penguins et une septième comme entraîneur adjoint de l'Avalanche du Colorado en 1996.

Malgré son succès au hockey, Trottier a traversé des passes difficiles. Une série de mauvais placements l'ont endetté de 9,7 millions de dollars, l'ont forcé à déclarer faillite au début des années 90 et l'ont plongé dans une profonde dépression. Après avoir pris sa retraite, il s'est vu obligé d'enfiler à nouveau ses patins pendant un an. Ses ennuis financiers ont même retardé le retrait de son numéro, car il demandait aux Islanders un cachet trop élevé pour participer à la cérémonie. (Un observateur rapporte même avoir vu Trottier vendre ses souvenirs au plus offrant lors d'un Match des étoiles de la LNH.)

Métis né d'un père Cri-Ojibway et d'une mère blanche, Trottier s'est déclaré citoyen nord-américain. Ne craignant pas la controverse, il a joué pour les États-Unis au tournoi de la Coupe Canada de 1984, sous prétexte que son statut d'Indien lui permettait de vivre des deux côtés de la frontière. Il voulait d'ailleurs remercier le pays qui lui avait tant donné et qui était le lieu de naissance de sa femme.

Trottier a également écrit pour *The Hockey News* un article dans lequel il s'en prenait aux officiels de la LNH. Lorsqu'on relit le commentaire de Trottier sur la brutalité au hockey, force est de constater que 20 ans plus tard, il est encore d'actualité.

« Les joueurs compétents sont juste des joueurs compétents, mais les nuls s'en tirent parce que les officiels ont moins tendance à légiférer contre eux, peut-on lire. Laissez le hockey tel qu'il est. Arrêtez d'ajouter des règlements. Servez-vous de ceux qui existent. Sévissez quand il le faut. »

– KC

20

Joe
Sakic

Monsieur Respect

Joe Sakic est un homme de peu de mots. Mais pourquoi gaspillerait-il sa salive ? Ses exploits témoignent de son intelligence du jeu beaucoup plus efficacement que la moindre parole.

« Je n'ai jamais vraiment réfléchi à ma place au sein de l'histoire du hockey, dit le natif de Burnaby, en Colombie-Britannique. J'ai encore beaucoup de plaisir à jouer. C'est vraiment tout ce qui compte pour moi. Tant qu'on aura besoin de moi, je jouerai. »

Profondément touché par le tragique accident d'autobus qui a tué quatre de ses coéquipiers des Broncos de Swift Current en 1986, Sakic a été sélectionné au 15e rang du repêchage de 1987 par les Nordiques de Québec. Il venait alors d'être élu joueur de l'année de la Ligue canadienne de hockey et de recevoir les trophées du meilleur compteur et du joueur le plus utile de la Western Hockey League. Pourtant, plusieurs croyaient qu'il n'avait pas le physique pour poursuivre une carrière digne de ce nom dans la LNH.

> **« Il y a différents types de leaders dans la LNH. Moi, je montrais davantage aux gars comment se préparer, comment maintenir un certain niveau, etc. C'était le style avec lequel j'étais le plus à l'aise. »**
>
> **– Joe Sakic**

De petite taille et plutôt maigrichon à l'époque, Sakic a refusé de se laisser abattre par les cancans. Il a pris 7 kilos de muscles pour finalement atteindre 89 kilos, poids qu'il a maintenu jusqu'à présent.

« Au début de ma carrière, dit Sakic, j'avais effectivement besoin de renforcer mes jambes et c'est là-dessus que je me suis concentré pendant un bout de temps. Je savais que je pouvais réussir dans la LNH, et j'étais prêt à faire tout ce qu'il fallait pour y arriver. »

En 1988-89, la jeune recrue a offert une performance plus que respectable (62 points dont 23 buts en 70 matchs) dans une équipe qui tirait de l'arrière (27 victoires, 46 défaites et 7 matchs nuls). Mais c'est la saison suivante, avec ses 102 points dont 63 passes, que Sakic s'est révélé comme un attaquant féroce et un joueur de calibre professionnel.

Les pitoyables Nordiques n'évoluaient cependant pas au même rythme que Sakic. En six ans, l'équipe de Québec n'avait pas réussi une seule fois à se rendre aux séries éliminatoires. Mais le vent a commencé à tourner en 1992-93, l'année même où – curieuse coïncidence – la direction a nommé Sakic capitaine de l'équipe.

Comment l'affable Sakic arriverait-il à diriger ses coéquipiers ? De la même manière qu'il s'était hissé au-dessus de la mêlée jusque-là.

Joe Sakic, centre
Né le 7 juillet 1969

Carrière au sein de la LNH :	1988-...
Équipes :	Québec/Colorado
Fiche (saisons régulières) :	610 buts, 979 passes, 1 589 points en 1 319 matchs
Fiche (séries éliminatoires) :	82 buts, 96 passes, 178 points en 162 matchs
Trophées :	
• Conn Smythe	1 (1996)
• Hart	1 (2001)
• Lady Byng	1 (2001)
Nominations – 1re équipe d'étoiles :	3 (2001, 2002, 2004)
Nominations – 2e équipe d'étoiles :	0
Coupes Stanley :	2
Ce qu'on dira de lui :	Calme et distinction caractérisent ce leader qui a compté beaucoup de points et a mérité le respect de toute la ligue.

« Il y a différents types de leaders dans la LNH, dit-il. Moi, je montrais davantage aux gars comment se préparer, comment maintenir un certain niveau, etc. C'était le style avec lequel j'étais le plus à l'aise. »

Sakic a lui-même toujours cherché à s'améliorer. Il a saisi toutes les occasions de le faire, notamment en participant à des tournois internationaux. Il a largement contribué au succès de l'équipe canadienne, qui en 1994 a remporté sa première médaille d'or en 33 ans au Championnat du monde de hockey sur glace. Et il a certainement aidé le Canada à obtenir sa médaille d'or aux Jeux olympiques de Salt Lake City en 2002, car il a été élu meilleur hockeyeur canadien.

« C'est formidable de représenter son pays, dit Sakic. C'est très intense, car on sait que le monde entier nous regarde. Ces compétitions étaient d'un autre niveau et elles m'ont probablement aidé à améliorer mon jeu au sein de la LNH. »

En 1995-96, les Nordiques ont été transférés au Colorado, où ils ont été rebaptisés Avalanche. C'est avec cette équipe renouvelée que Sakic a atteint son sommet. Cette année-là, il a accumulé 120 points et franchi le cap des 50 buts en saison régulière ; il a aussi marqué 18 buts, dont 6 décisifs, comptant au total 34 points en 22 matchs éliminatoires ; enfin, il a remporté le trophée Conn Smythe et raflé sa première Coupe Stanley.

« Le sentiment qu'on ressent quand on hisse la Coupe à bout de bras est indescriptible, dit celui qui tôt ou tard sera intronisé au Temple de la renommée. On était en train de construire quelque chose de spécial à Québec, et ça aurait été bien de gagner là-bas, mais on n'avait pas notre mot à dire dans cette décision. Je suis juste très content d'avoir gagné. »

Pendant l'été 1997, Sakic a acquis le statut de joueur autonome et a signé un contrat de 21 millions de dollars répartis sur 3 ans avec les Rangers de New York. Mais en fin de compte, il est resté avec l'Avalanche qui lui a offert le même salaire (dont une prime à la signature de 15 millions de dollars).

« À l'époque, je n'avais pas de préférence, dit-il. L'idole de mon enfance, Wayne Gretzky, jouait encore pour les Rangers et j'aurais été très fier de faire équipe avec lui. Mais je dirais que les choses ont assez bien tourné à Denver. Je n'ai aucun regret. »

Sakic a participé à trois Jeux olympiques et 13 Matchs des étoiles, et remporté un trophée Hart (2001) et deux Coupes Stanley avec l'Avalanche. Il est l'un des rares joueurs à avoir remporté le trophée Hart l'année même où il a mené son équipe à la victoire lors du championnat de la LNH. Les autres sont Wayne Gretzky, Mark Messier et Bobby Clarke.

À 37 ans, Sakic n'a pas perdu la main. Meilleur compteur de l'histoire de l'Avalanche (1 589 points en 1 319 matchs), il a terminé l'année 2006-07 en comptant son 600e but en carrière, en enregistrant plus de 100 points pour une sixième saison et en se classant sixième meilleur marqueur de la ligue. Et ce n'est pas fini. « Je devrai arrêter de jouer un jour, dit celui qui a signé un contrat pour une 19e saison en 2007-08, mais pas avant que mon corps et mon esprit me le disent. »

– AP

21

Jari Kurri

Le bras droit de Gretzky

Dans les annales du hockey, on dira de Thomas Eriksson qu'il était un honnête défenseur des Flyers de Philadelphie. Mais entre nous, on sait bien qu'il est la raison pour laquelle les Oilers d'Edmonton ont misé sur un ailier droit finlandais du nom de Jari Kurri en 1980.

À cette époque, il arrivait que les Européens repêchés par les clubs de la LNH ne se donnent même pas la peine de venir en Amérique du Nord. Don Baizley, l'agent de Kurri, ne pouvait pas garantir aux Oilers d'Edmonton que le Finlandais quitterait sa terre natale. Mais Barry Fraser, le dynamique directeur du recrutement des Oilers, qui s'était fait damer le pion après avoir donné foi à ce genre de rumeur à propos d'Eriksson l'année précédente, n'a pas renoncé pour autant. Il a convaincu le DG Glen Sather de sélectionner Kurri au 69ᵉ rang du repêchage, exactement à la même place que Glenn Anderson l'année précédente, et exactement à mi-chemin entre Paul Coffey (6ᵉ rang) et Andy Moog (132ᵉ rang).

Le reste appartient à l'histoire. Les Oilers d'Edmonton ont été l'un des meilleurs clubs de la LNH, et Kurri, l'un des deux meilleurs joueurs de cette équipe.

Si les Oilers ont pratiquement raflé tous les trophées durant les années 80, il est vraiment injuste que Kurri n'ait jamais reçu le trophée Selke, remis au meilleur attaquant ayant démontré le plus de compétence défensive. Au mieux, a-t-il été finaliste en 1983, l'année où on a remis cette récompense à Bobby Clarke.

« J'en parlais avec Slats lors de la cérémonie du retrait du numéro de Mark Messier à Edmonton, rapporte Kurri, et il m'a dit que ça le dérangeait vraiment que je n'aie jamais gagné le trophée Frank Selke. Je ne sais pas pourquoi… Peut-être que ma fiche était trop bonne. »

Sans mauvais jeu de mots, Kurri marque un point. Avant qu'on remette le Selke à Doug Gilmour en 1993, ce trophée était implicitement réservé aux attaquants qui ne comptaient pas beaucoup de points. Or, jamais au sein de la LNH, on n'avait connu quelqu'un de la trempe de Kurri. Il était capable de passer de l'immobilité au plein régime en un rien de temps. Il arrêtait l'adversaire à un bout de la patinoire, avant de se précipiter à l'autre bout pour attaquer. Il a compté au moins 30 buts à chacune de ses 10 saisons avec les Oilers d'Edmonton, et a même passé le cap des 40 points pendant 7 saisons d'affilée.

Kurri avait beaucoup d'affinités avec Gretzky. Les deux joueurs avaient la même vision du hockey, et le premier était toujours capable de deviner ce que le second s'apprêtait à faire. Il a été la conscience défensive de Gretzky pendant huit saisons et a permis au « plus grand » d'être créatif et dangereux.

> « Lorsque Wayne Gretzky a été échangé, les gens ont dit que j'étais fini. »
>
> – Jari Kurri

Gretzky parlait presque toujours en termes dithyrambiques de son ailier droit. « J'aimerais que Jari obtienne le statut de permanent résident pour qu'il puisse représenter notre pays au tournoi de la Coupe Canada » a-t-il dit de Kurri au début de sa carrière. Mais cette boutade était sans doute son plus beau compliment.

Kurri préparait le terrain pour Gretzky sans se plaindre. « Naturellement, a-t-il déclaré un jour, quelqu'un doit le faire. Mais ça ne me cause pas de problème. Ça me plaît. »

Ceux qui croyaient que Kurri ne pouvait rien accomplir s'il n'était pas dans le sillage de Gretzky ont dû admettre leur erreur. Après le départ de Gretzky pour Los Angeles, Kurri a enregistré 2 saisons de 96 et 102 points, respectivement. Avec 71 buts en 1984-85, il a battu le record de l'époque des points marqués par les ailiers droits, et avec un total en carrière de 233 points dont 106 buts, il reste le troisième meilleur compteur de tous les temps en séries éliminatoires, derrière Gretzky et Messier. Au cours des éliminatoires de 1990, sa dernière année à Edmonton, il a compté 25 points, dont 10 buts, qui ont aidé les Oilers à gagner leur cinquième Coupe Stanley en 7 ans.

« Lorsque Wayne a été échangé, les gens ont dit que j'étais fini, dit Kurri. Il fallait absolument que je prouve qu'ils avaient tort. J'ai toujours su ce que je valais et ce que je pouvais faire, mais ça n'a pas toujours été facile. »

La suite n'a pas été aussi glorieuse pour le Finlandais. Une impasse contractuelle avec les Oilers l'a forcé à jouer un an en Italie avant de retrouver Gretzky en 1991 à Los Angeles. Après plus de quatre saisons avec les Kings, Kurri a été cédé aux Rangers et, après un bref passage chez les Mighty Ducks d'Anaheim et l'Avalanche du Colorado, il a mis fin à sa carrière en Amérique du Nord en remportant une médaille de bronze avec l'équipe finlandaise aux Jeux olympiques de Nagano, au Japon. Mais on se souviendra toujours de Kurri comme d'un Oiler, car c'est à Edmonton qu'il a connu ses plus grands succès.

« Je crois qu'il faut vraiment remercier Glen de nous avoir laissé une grande marge de manœuvre, dit Kurri. On était jeunes et on ne s'inquiétait jamais quant à savoir si on allait rester sur le banc ou être renvoyés chez les mineurs. Un jeune joueur a besoin de ce genre de sécurité. Dommage qu'on n'en parle pas davantage. »

– KC

Jari Kurri, ailier droit
Né le 18 mai 1960

Carrière au sein de la LNH :	1980-98
Équipes :	Edmonton, Los Angeles, Rangers de NY, Anaheim, Colorado
Fiche (saisons régulières) :	601 buts, 797 passes, 1 398 points en 1 251 matchs
Fiche (séries éliminatoires) :	106 buts, 127 passes, 233 points en 200 matchs
Trophées :	
• **Lady Byng**	1 (1985)
Nominations – 1re équipe d'étoiles :	2 (1985, 1987)
Nominations – 2e équipe d'étoiles :	3 (1984, 1986, 1989)
Coupes Stanley :	5
Ce qu'on dira de lui :	Le bras droit de Gretzky a été le premier Européen à enregistrer 600 buts et un millier de points.

22

Brett Hull

Unique et rapide

L'une des photos les plus célèbres de l'histoire du hockey montre un magnifique jeune homme au torse nu, en train de faire les foins. C'est Bobby Hull sur sa ferme près de Belleville, en Ontario.

Lorsqu'il avait à peu près le même âge, Brett, le quatrième enfant de Hull, souffrait d'embonpoint, était paresseux et n'avait pas de but dans la vie. Personne n'aurait cru qu'un jour il éclipserait son illustre père.

« Enfant, Brett avait toujours le nez qui coulait et la braguette ouverte, a déclaré Bobby Hull au début de la carrière de son fils. Il avait la même attitude quand il a commencé à jouer au hockey. Il ne se forçait pas trop. »

Chaque fois qu'on demande à Brett Hull ce que son père lui a transmis, il répond presque invariablement « les gènes ». Ses parents ont divorcé quand il avait 13 ans, et par la suite, il n'a pas beaucoup revu son père avant de se mettre à jouer au hockey pour l'Université du Minnesota à Duluth. On ne peut pas dire que Bobby ait été une inspiration pour le jeune Brett.

Or, « Golden Brett » a toujours eu un tir puissant et un talent inégalé pour lancer la rondelle là où il le voulait. Outre la physionomie, c'est un trait qu'il partage avec le « Golden Jet », son paternel.

Mais les ressemblances s'arrêtent là. Bobby Hull jouait au hockey avec une rare intensité et une détermination féroce, tandis que Brett était le moins stressé des joueurs étoiles de la LNH. Il a failli ne jamais entreprendre de carrière professionnelle. Il a longtemps joué pour le plaisir avant d'entrer chez les Knights de Penticton de la Ligue junior A de la Colombie-Britannique, en 1982, à l'âge de 18 ans. Il aimait peut-être le sport, mais pas la pression qui l'accompagnait, probablement à cause d'un nom lourd à porter. De plus, il avait le don de rendre les entraîneurs fous.

Lorsqu'il s'est présenté à Penticton, Hull pesait 100 kilos, soit 10 kilos de plus que son poids dans la LNH. Mais après avoir accumulé 193 points, dont 105 buts, en 56 matchs en 1983-84, il a obtenu une bourse de l'Université du Minnesota et a été repêché au sixième rang par les Flames de Calgary. Lorsqu'il est arrivé à l'université la saison suivante, très décontracté en jeans et en sandales, il avait tellement perdu la forme que ses coéquipiers l'ont surnommé «pickle» parce qu'il était rond comme un cornichon. Encore une fois, il s'est ressaisi et a enregistré une très bonne performance pendant ses deux années au Minnesota.

En 1986, profitant de sa double nationalité (grâce à sa mère, Américaine), Hull a accepté de jouer pour les États-Unis au Championnat du monde de hockey sur glace, et a pris tout le monde par surprise en comptant 11 points, dont 7 buts, en 10 matchs. Cette performance a d'ailleurs marqué le point de départ de l'une des plus grandes carrières de la ligue américaine, soulignée entre autres par le but gagnant de la Coupe du monde de hockey en 1996.

> « Je sens encore l'impact de la rondelle de Brett. Et ce n'était pas un lancer du poignet. »
>
> – Richard Brodeur

Hull a commencé à jouer pour les Flames de Calgary vers la fin de 1986-87. Le DG Cliff Fletcher avait déclaré qu'il attendait de voir de quel bois se chauffait la recrue. Il en a eu plein la vue : en 67 matchs au sein de la LAH, Hull a marqué 50 buts. Prenant le train en marche, Hull et son coéquipier Joe Nieuwendyk ont participé aux séries éliminatoires de 1987. Bien que les Flames se soient inclinés devant les Canucks de Vancouver en demi-finale de division, Hull a réussi à se distinguer en enregistrant trois points, dont deux buts, en quatre matchs.

« J'ignore si son père avait un tir aussi puissant, car je n'ai jamais joué contre lui, a dit Richard Brodeur, le gardien de but des Canucks, après la série. Mais je sens encore l'impact de la rondelle de Brett. Et ce n'était pas un lancer du poignet. »

Pendant la saison 1987-88, les Flames ont échangé Hull et Steve Bozek contre Rob Ramage et Rick Wamsley des Blues de Saint-Louis afin de se donner une meilleure chance de remporter le championnat. Cette transaction a effectivement consolidé l'alignement de Calgary pendant les éliminatoires. Mais, conscient du talent de Hull, Fletcher a demandé à tous ses collègues du club s'ils étaient vraiment à l'aise avec le fait de céder un joueur capable de marquer 40 buts contre une chance de remporter la Coupe Stanley.

C'est à Saint-Louis que Hull est devenu l'un des plus grands marqueurs de l'histoire du hockey. Pendant 3 saisons d'affilée, il a enregistré au moins 70 buts, et même 86 en 1990-91, le troisième meilleur score de saison de toute l'histoire de la ligue. Chose qu'on passe souvent sous silence, Hull était aussi un fin stratège ; la plupart de ses points sont dus à son aptitude à semer les défenseurs et à être au bon endroit au bon moment. Avec les années, il a également peaufiné son jeu défensif.

À toutes ces qualités s'ajoutait toutefois une propension à résister à l'autorité. Lorsque Hull a signé un contrat de joueur autonome avec les Stars de Dallas en 1998, il n'a pas tardé à être à couteaux tirés avec l'entraîneur Ken Hitchcock, qui prônait davantage un jeu défensif. Ainsi, lors d'une séance d'entraînement, le joueur s'est emparé de la rondelle et l'a larguée dans un coin. Lorsqu'un Hitchcock en colère lui a demandé ce qu'il faisait, il lui a rétorqué qu'il avait compris que compter des buts n'était pas important.

Avec ses 741 buts en carrière, Hull s'est classé comme troisième meilleur marqueur de tous les temps.

– KC

Brett Hull, ailier droit
Né le 9 août 1964

Carrière au sein de la LNH :	1986-2006
Équipes :	Calgary, St-Louis, Dallas, Detroit, Phoenix
Fiche (saisons régulières) :	741 buts, 650 passes, 1 391 points en 1 269 matchs
Fiche (séries éliminatoires) :	103 buts, 87 passes, 190 points en 202 matchs
Trophées :	
• Hart	1 (1991)
• Lady Byng	1 (1990)
• Pearson	1 (1991)
Nominations – 1re équipe d'étoiles :	3 (1990, 1991, 1992)
Nominations – 2e équipe d'étoiles :	0
Coupes Stanley :	2
Ce qu'on dira de lui :	Nul autre n'avait un lancer frappé, un tir frappé court ni un tir du poignet plus rapide que lui. Ses boutades n'étaient pas mal non plus.

23

Marcel Dionne

La super étoile
oubliée

Dans le guide média des Canadiens de Montréal, on peut admirer une photo des ambassadeurs du Tricolore. Majestueux et élégants dans leurs complets chics, les Jean Béliveau, Henri Richard, Guy Lafleur, Yvon Cournoyer, etc., sourient à la caméra, au milieu de leurs Coupes Stanley. Même après avoir pris leur retraite du hockey, ils n'ont pas perdu leur statut de vedette.

Il en a été autrement pour Marcel Dionne. Après avoir raccroché ses patins au terme d'une carrière de 18 ans, ce grand compteur de la LNH est redevenu monsieur Tout-le-monde. Il a d'abord ouvert une compagnie de nettoyage à sec, puis une entreprise de plomberie où il était l'homme à tout faire. Incroyable, non?

« Tout était offert sur un plateau d'argent aux Canadiens de Montréal ou aux Maple Leafs de Toronto, dit Dionne. Même un joueur moyen pouvait recevoir des voitures en cadeau. Moi, on ne m'a jamais rien donné, pas la moindre foutue bagnole. Non, attendez, ce n'est pas vrai. Quand j'étais chez les juniors, j'en ai reçu une d'un type qui voulait m'aider. »

Dionne avait l'habitude de regarder passer le train. Les équipes pour lesquelles il a joué – les Red Wings de Detroit, les Kings de Los Angeles et les Rangers de New York – ont gagné en moyenne un peu moins d'une partie sur deux (0,468) et les rares fois où elles se sont rendues aux éliminatoires, elles n'ont dépassé la troisième ronde qu'à trois occasions. En fait, la seule véritable victoire que Dionne a remportée avec une équipe, c'est la Coupe Canada en 1976.

> « Quand je jouais, j'étais enragé. Et il (Sidney Crosby) a exactement la même attitude. »
>
> **– Marcel Dionne**

Sélectionné au deuxième rang du repêchage de 1971 par les Red Wings de Detroit (tout juste après Guy Lafleur recruté par les Canadiens), Marcel Dionne est le joueur le plus talentueux et le plus dynamique de la LNH à n'avoir jamais vu son nom gravé sur la Coupe Stanley. Mais le fait qu'il ait joué pour des équipes médiocres n'explique pas tout; il y est pour quelque chose. Par exemple, il n'a compté aucun but lors des éliminatoires de 1978 à 1980. Et en même temps qu'on le félicitait pour son millième match, on lui demandait mi-figue, mi-raisin, combien il en avait gagné sur ce nombre.

La plupart des critiques qu'on a adressées à Dionne étaient justifiées. À 17 ans, il rejeté son Québec natal afin de jouer pour les Black Hawks de St. Catharines, une équipe de l'Association de hockey de l'Ontario. Et ses nombreuses prises de bec avec la direction du club de Detroit lui ont valu plusieurs suspensions. Au début de la saison 1972-73, par exemple, il a filé à l'anglaise pendant une séance d'entraînement des Red Wings et ne s'est pas présenté au match contre les Canucks de Vancouver. Un an plus tard,

Marcel Dionne, centre

Né le 3 août 1951

Carrière au sein de la LNH :	1971-89
Équipes :	Detroit, Los Angeles, Rangers de NY
Fiche (saisons régulières) :	731 buts, 1 040 passes, 1 771 points en 1 348 matchs
Fiche (séries éliminatoires) :	21 buts, 24 passes, 45 points en 49 matchs
Trophées :	
• Art Ross	1 (1980)
• Lady Byng	2 (1975, 1977)
• Pearson	2 (1979, 1980)
Nominations – 1re équipe d'étoiles :	2 (1977, 1980)
Nominations – 2e équipe d'étoiles :	2 (1979, 1981)
Coupes Stanley :	0
Ce qu'on dira de lui :	Le joueur le plus talentueux et le plus dynamique de la LNH n'ayant jamais remporté de Coupe Stanley.

l'entraîneur Ted Garvin l'a retiré du jeu pour manque d'enthousiasme. « Il ne veut pas dire ce qui le dérange, pourquoi il n'a pas plus de cœur à l'ouvrage, a-t-il dit à l'époque. Je n'arrive pas à comprendre son comportement. »

En 1975, Dionne signait avec les Kings de Los Angeles le contrat le plus généreux jamais offert à un joueur de la LNH : 1,5 million de dollars répartis sur 5 ans. Le fait que Bob Pulford, l'entraîneur des Kings, n'ait pas assisté à la conférence de presse organisée par les Kings pour souligner l'événement en dit long sur ce qu'il pensait de cette transaction.

Quelques jours auparavant, Jerry Buss, propriétaire des Kings et des Lakers de Los Angeles (équipe de la National Basketball Association), avait annoncé qu'il faisait l'acquisition du basketteur Kareem Abdul-Jabbar. Et tandis que le basketteur vedette a permis à son équipe de remporter cinq championnats de la NBA, Dionne n'est pas arrivé à gagner une Coupe Stanley.

Pendant ses 12 saisons avec les Kings, Dionne a souvent menacé de prendre sa retraite ou de passer à l'Association mondiale de hockey. En 1980, il a même fait une sortie publique contre la direction du club et ses coéquipiers. Il avait alors 28 ans. « On manque de joueurs compétents, a-t-il dit à l'époque. Je suis un des seuls joueurs à avoir du talent dans cette équipe. Le directeur général est responsable de cette situation. S'il n'est pas capable de repérer les bons joueurs, j'espère qu'il est meilleur juge de caractère, parce que c'est quelque chose d'autre qui nous manque. Je suis fatigué de me crever pour une bande de paresseux. »

Il est vrai que Dionne était remarquablement doué. Sa fiche témoigne d'une performance supérieure à celle de Lafleur, et il est le cinquième meilleur compteur de toute l'histoire de la LNH. Aujourd'hui, il retrouve chez le jeune Sydney Crosby la fougue qui le caractérisait à l'époque. « On a énormément de points communs, dit-il de la vedette en herbe. Quand je jouais, j'étais enragé. Je voulais m'emparer de la rondelle à tout prix. Et il a exactement la même attitude. »

Au regret de ne pas avoir gagné la Coupe Stanley s'ajoute celui de ne pas avoir joué dans une région où les gens étaient passionnés de hockey. « C'est vraiment dommage que mes compatriotes n'aient pas eu l'occasion de me voir jouer, déplore Dionne. Avec *La Soirée du hockey,* ils voyaient tout le temps Guy Lafleur. Mais à LA, on passait cinq parties de hockey par année à la télé. Il n'y avait pas le câble à l'époque. Quand on présente les faits saillants de ma carrière, je vois bien que les gens sont impressionnés par mes buts. S'ils savaient… j'en ai compté des centaines comme ça ! »

Le hic, c'est qu'il ne les comptait pas pendant les éliminatoires. En 1981, les Kings, qui étaient arrivés au quatrième rang du classement général de la LNH, ont perdu en 4 matchs la 1re ronde des séries éliminatoires aux mains de la 13e équipe, les Rangers de New York. Dionne, qui avait marqué un but et trois passes, a alors fait une déclaration qui pourrait bien lui servir d'épitaphe : « J'aurais pu être un héros. »

– KC

24

Peter Forsberg

Tour de force

Peter Forsberg, centre

Né le 20 juillet 1973

Carrière au sein de la LNH :	1995-...
Équipes :	Québec/Colorado, Philadelphie, Nashville
Fiche (saisons régulières) :	248 buts, 623 passes, 871 points en 697 matchs
Fiche (séries éliminatoires) :	63 buts, 103 passes, 166 points en 144 matchs
Trophées :	
• Art Ross	1 (2003)
• Calder	1 (1995)
• Hart	1 (2003)
Nominations – 1re équipe d'étoiles :	3 (1998, 1999, 2003)
Nominations – 2e équipe d'étoiles :	0
Coupes Stanley :	2
Ce qu'on dira de lui :	Offrant toujours une excellente performance, ce joueur a fait fi d'importantes blessures pour guider l'Avalanche vers la terre promise.

eu connu en 1992, Peter Forsberg faisait partie des six joueurs que les Flyers de Philadelphie ont cédés aux Nordiques de Québec dans le cadre d'une célèbre transaction : l'Échange Eric Lindros.

Une quinzaine d'années plus tard, il est évident qu'on aurait dû parler de l'Échange Peter Forsberg. Si les Flyers pouvaient remonter dans le temps, ils n'auraient probablement jamais laissé aller le Suédois et auraient remporté au moins les deux Coupes gagnées par l'Avalanche du Colorado grâce à ses bons soins.

« Je me souviens d'avoir enfilé le chandail noir et orange en prévision d'une séance de photos pour des cartes de collection, dit celui qui a été sélectionné au sixième rang du repêchage de 1991 par l'équipe de Philadelphie. Mais je n'ai pas mis trop de temps à comprendre que j'avais été recruté uniquement en vue de ce fameux échange. J'ai véritablement commencé ma carrière dans la LNH avec les Nordiques de Québec, et elle a pris tout son essor au Colorado. Je n'ai que des bons souvenirs de cette époque. »

Ce joueur fort, intelligent, rapide, efficace et intrépide faisait l'admiration de ses collègues. « Forsberg peut accomplir des choses que d'autres n'arrivent même pas à concevoir », a dit son coéquipier de l'Avalanche Adam Foote en 2002.

« Il incarne le professionnalisme, dit son coéquipier des Predators de Nashville, Paul Kariya. On joue mieux à son contact. On ne peut pas faire de plus beau compliment à un joueur. Je ne l'ai jamais vu se défiler. »

Lorsqu'il a joint les Nordiques en 1994, Forsberg n'a participé qu'à 47 matchs en raison du lockout de la LNH, mais il a tout de même réussi à inscrire 50 points et 35 passes, et a obtenu le trophée Calder. Auparavant, il avait participé aux Olympiques de Lillehammer avec l'équipe suédoise et remporté sa première médaille d'or. C'est lui qui avait marqué le but gagnant lors d'un tir en fusillade contre le gardien de but canadien, Corey Hirsch.

Lorsque les Nordiques ont été transférés à Denver en 1995-96, le natif d'Ornskoldsvik a atteint des sommets en accumulant 116 points, dont 30 buts, en 82 matchs. Il a même réussi à se dépasser pendant les éliminatoires : en 22 matchs, il a compté 10 buts et 11 passes, permettant ainsi à l'Avalanche de remporter sa première Coupe Stanley. Forsberg est le seul joueur de l'histoire du hockey suédois à avoir raflé deux Coupes Stanley, deux médailles d'or aux Olympiques et deux championnats mondiaux.

Mais parallèlement à ses exploits, il y a les efforts que cet athlète a déployés pour continuer à jouer.

« Seuls Mario (Lemieux) et (Wayne) Gretzky pouvaient reprendre le collier de cette façon après un long congé. Je pense qu'on peut mettre Peter dans la même catégorie maintenant. »

– Rob Blake

À un moment donné, ses capacités ont commencé à se ressentir des attaques constantes de ses adversaires. En 1999-2000, il a dû s'absenter pendant la moitié de la saison pour subir une opération à l'épaule. Au milieu des éliminatoires de 2001, il a dû se faire retirer la rate, car elle avait été très endommagée.

À la fin de cette saison, Forsberg a annoncé qu'il se retirait temporairement pour récupérer. « Mon corps a reçu bien des coups », a-t-il dit en conférence de presse pour faire référence aux jeux de puissance et aux accrochages dont il était constamment la cible. Il souffrait également de problèmes aux pieds qui l'ont hanté jusqu'à la fin de sa carrière. « Je portais des coussins protecteurs autour de la cheville depuis peut-être 1996, dit-il. J'étais habitué à la douleur depuis longtemps, mais en 2001, c'était insoutenable. Ça m'élançait chaque fois que je mettais le pied sur la patinoire. »

De retour au jeu pour les éliminatoires de 2002, Forsberg a prouvé qu'il n'avait pas perdu la main. Il a réussi à enregistrer 27 points, dont 9 buts, avant que l'Avalanche soit éliminée par Detroit en finale de Conférence de l'Ouest.

Résolu à redevenir un joueur étoile, Forsberg a marqué trois points lors du dernier match de la saison régulière de 2002-03 et a remporté les trophées Hart et Art Ross. « C'est un sacré exploit, a dit le défenseur de l'Avalanche Rob Blake. Seuls Mario (Lemieux) et (Wayne) Gretzky pouvaient reprendre le collier de cette façon après un long congé. Je pense qu'on peut mettre Peter dans la même catégorie maintenant. »

Après avoir atteint un plafond salarial au Colorado en 2005, Forsberg a quitté l'Avalanche pour retourner à ses « premières amours », les Flyers, avec qui il a signé un contrat de deux ans. Bien qu'il ait accumulé 75 points lors de sa première saison à Philadelphie, il n'a participé qu'à 60 matchs en raison de problèmes de santé récurrents.

Lorsque la terre s'est effondrée sous les Flyers en 2006-07, Forsberg, toujours handicapé par ses blessures, a été échangé contre plusieurs joueurs de Nashville. Après l'élimination des Predators en quart de finale, on a dit qu'il envisageait la retraite.

Que la rumeur soit fondée ou non, un chose est claire : jusqu'à ce jour, Forsberg reste un joueur talentueux et extrêmement compétent, et si son corps a été abîmé, son cœur est resté intact. « Peter est un grand compétiteur, a dit un jour son coéquipier de l'Avalanche Ville Nieminen. Il se donne pleinement. Il est incapable d'en faire moins. »

– AP

25

Ron Francis

Gentleman hockeyeur

Ron Francis a commencé sa carrière au sein de la LNH avec les Whalers de Hartford en 1981. Lors de son premier camp d'entraînement, il s'est approché de Blaine Stoughton pour lui demander s'il pouvait faire quelque chose de particulier.

« Oui, travaille dans les coins, a dit Stoughton.

– OK, je vais essayer » a répondu Francis.

Stoughton s'est dit que ça augurait bien, et les faits lui ont donné raison. En 1981-82, Francis a aidé le vétéran à compter 52 buts et a lui-même enregistré 68 points, dont 45 passes, en 59 matchs.

Peu de joueurs complets ont été aussi utiles à leurs coéquipiers que le natif de Sault-Sainte-Marie, en Ontario. Il s'est forgé une carrière à force de talent, d'application et de générosité, des vertus qui lui ont été inculquées lorsqu'il était très jeune. « Mon père travaillait dans une usine, dit Francis. C'est lui qui m'a appris la valeur de l'effort. »

Et Francis a compris l'importance de la compassion et de la tolérance en grandissant auprès de Ricky, son frère cadet qui souffre de déficience intellectuelle. Celui-ci s'est d'ailleurs distingué aux Jeux olympiques spéciaux en remportant une médaille d'or en ski de fond. Il portait une des bagues à l'effigie de la Coupe Stanley de Ron.

Francis a dépassé le cap des 30 buts et des 100 points à 3 reprises seulement au cours de sa carrière ; c'était aux deux extrémités de la patinoire qu'il était le plus efficace. Entre autres, il était capable de mettre en échec le meilleur centre de l'équipe adverse sans récolter de pénalité. On s'étonne d'ailleurs de constater qu'il n'ait remporté qu'un seul trophée Selke, en 1995. Mais il a accumulé trois trophées Lady Byng ; seuls Frank Boucher, Red Kelly et Wayne Gretzky ont vu leur esprit sportif reconnu plus souvent.

> « Mon père travaillait dans une usine. C'est lui qui m'a appris la valeur de l'effort. »
>
> – Ron Francis

Comme joueur et comme citoyen, Francis avait beau exemplaire, sa carrière n'a pas toujours été facile. En 1990-91, le DG Ed Johnston et l'entraîneur Rick Ley l'ont blâmé pour les faiblesses de l'équipe et ne se sont pas gênés pour remettre publiquement en question sa motivation et son leadership. Pourtant, Francis avait terminé la saison précédente avec 101 points. Ley n'en a pas moins décidé de le relever de ses fonctions de capitaine, en lui demandant de garder la nouvelle pour lui pendant 24 heures. Mais le joueur n'a pas pu s'empêcher d'en parler à ses coéquipiers, car Ley ne voulait pas le faire. La fuite d'information dans les médias qui en a résulté a poussé les Whalers à échanger Francis, ainsi qu'Ulf Samuelsson et Grant Jennings, contre John Cullen, Jeff Parker et Zarley Zalapski des Penguins de Pittsburgh. La pire des transactions des Whalers et la plus inéquitable de la LNH.

Même si Francis a décroché des Coupes Stanley avec les Penguins, il a mis du temps à oublier l'affront qu'il avait essuyé à Hartford. « La première chose à laquelle j'ai pensé, c'est que j'avais échoué, que je n'étais pas assez bon pour faire toute ma carrière dans la même équipe », dit-il.

Pour de nombreux observateurs, cet échange a marqué le début de la fin des Whalers. S'en est suivie une dégringolade qui a pris fin avec le transfert de l'équipe en Caroline du Nord. Ironie du sort, Francis a connu de très bonnes années avec les Hurricanes vers la fin de sa carrière.

Les Penguins, une joyeuse bande d'attaquants qui ne se préoccupaient pas vraiment de leur stratégie défensive, ont compris rapidement que Francis représentait un atout inestimable. « Quand je suis arrivé à Pittsburgh, l'entraîneur Bob Johnson m'a fait venir dans son bureau, se rappelle Francis. Il m'a demandé si j'avais entendu parler d'un de leurs joueurs, Mario Lemieux. Je savais qui c'était. "C'est notre centre vedette, a-t-il poursuivi, mais ça ne veut pas dire que tu ne peux pas nous aider." Je l'ai interrompu en lui disant que je savais exactement où il voulait en venir et que ça ne me causait aucun problème.

« Quelques jours plus tard, je suis allé casser la croûte avec Ulfie et je lui ai dit qu'on avait des chances de remporter la Coupe. Les gens oublient peut-être que Jaromir Jagr était notre troisième ailier droit cette année-là. »

C'est dans sa position de centre de deuxième ligne que Ron Francis s'est épanoui à Pittsburgh. Les huit saisons qu'il a passées avec les Penguins lui ont en effet permis de se tailler une place au Temple de la renommée. À titre de capitaine, il a ensuite réussi à amener les Hurricanes de la Caroline en finale, mais la victoire leur a échappé. S'il a terminé sa carrière avec les Maple Leafs de Toronto en 2003-04, il habite encore à Raleigh, en Caroline, et a aidé son ancienne équipe à mettre en place un programme de hockey mineur AAA.

En fin de compte, une carrière honorable pour un des rares joueurs à avoir porté des Cooperalls. « Je pense qu'ils n'ont pas vraiment été populaires », conclut Francis.

– KC

Ron Francis, centre
Né le 1ᵉʳ mars 1963

Carrière au sein de la LNH :	1981-2004
Équipes :	Hartford, Pittsburgh, Caroline, Toronto
Fiche (saisons régulières) :	549 buts, 1 249 passes, 1 798 points en 1 731 matchs
Fiche (séries éliminatoires) :	46 buts, 97 passes, 143 points en 171 matchs
Trophées :	
• Clancy Memorial	1 (2002)
• Lady Byng	3 (1995, 1998, 2002)
• Selke	1 (1995)
Nominations – 1ʳᵉ équipe d'étoiles :	0
Nominations – 2ᵉ équipe d'étoiles :	0
Coupes Stanley :	2
Ce qu'on dira de lui :	Un leader distingué et un stratège qui performait en situation critique.

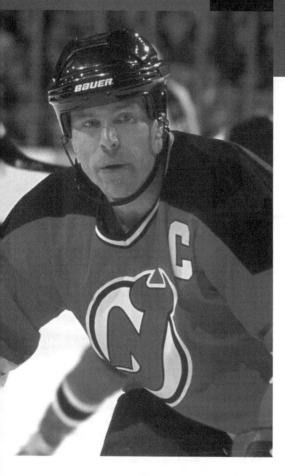

26

Scott Stevens

Capitaine Terreur

Scott Stevens savait comment faire entendre raison à ses adversaires, parfois même brutalement… Mais il a bientôt compris qu'il n'avait pas besoin d'avoir recours à la force pour s'imposer. C'est ce qui lui a permis d'être l'un des meilleurs défenseurs de la LNH pendant plus de 20 ans.

« Il va finir par apprendre que sa présence est suffisante et qu'il n'a pas besoin de faire appel à l'intimidation, déclarait Bryan Murray, l'entraîneur des Capitals, en 1984, à propos du jeune Stevens. Je ne veux pas qu'il perde sa fougue, je veux juste qu'il évite de s'emporter et de s'attirer des ennuis. »

Originaire de Kitchener, en Ontario, Stevens a commencé à jouer au hockey très jeune. « J'avais quatre ans, précise-t-il. On passait notre temps sur la patinoire extérieure. On habitait près d'une pente de ski, mais on n'y allait jamais. »

L'année 1982 s'est avérée très bonne pour Stevens. Après avoir été élu meilleur plaqueur de la Ligue de hockey de l'Ontario, le défenseur étoile des Rangers de Kitchener a été sélectionné au cinquième rang du repêchage de la LNH par les Capitals de Washington. Dès sa première saison au sein de la LNH, il a inscrit 25 points, dont 9 buts. Et au bout de 3 ans, il avait accumulé 617 minutes de pénalité. On avait compris qu'il ne faisait pas de quartier ; sa réputation était bien établie. « Il n'accepte pas de se faire dominer », a dit Murray à l'époque. « Je m'applique autant pendant les pratiques que pendant les matchs, ajoutait Stevens. Si un joueur n'est pas à son affaire, il risque de devenir trop relax, et ce n'est pas bon. »

Scott Stevens, défenseur
Né le 1er avril 1964

Carrière au sein de la LNH :	1982-2004
Équipes :	Washington, Saint-Louis, New Jersey
Fiche (saisons régulières) :	196 buts, 712 passes, 908 points en 1 635 matchs
Fiche (séries éliminatoires) :	26 buts, 92 passes, 118 points en 233 matchs
Trophées :	
• Conn Smythe	1 (2000)
Nominations – 1re équipe d'étoiles :	2 (1988, 1994)
Nominations – 2e équipe d'étoiles :	3 (1992, 1997, 2001)
Coupes Stanley :	3
Ce qu'on dira de lui :	Les célèbres mises en échec de cet ardent défenseur ont littéralement bouleversé des carrières.

Pendant ses neuf saisons avec les Capitals de Washington, Stevens a patrouillé la ligne bleue à un train d'enfer. En 1990, de nombreux DG de la LNH ont compris pourquoi les Blues de Saint-Louis étaient prêts à céder cinq futurs choix de premier rang au repêchage pour obtenir ce joueur complet aux qualités exceptionnelles.

Mais le destin en a décidé autrement lorsque, un peu moins d'un an après cette transaction, Saint-Louis a voulu acquérir Brendan Shanahan, un joueur du New Jersey. Or, les Devils refusaient les joueurs que les Blues leur offraient en échange : Curtis Joseph, Rod Brind'Amour et deux futurs choix au repêchage. Ils voulaient Stevens et ont fini par avoir gain de cause.

D'abord peu enthousiaste à l'idée de jouer pour les Devils, Stevens semble s'y être fait rapidement puisque dès sa deuxième saison, soit en 1992-93, il est devenu capitaine de l'équipe. Au faîte de sa carrière en 1993-94, Stevens a battu le record des Devils en enregistrant 60 passes. Et un an plus tard, ses célèbres assauts contre les attaquants Slava Kozlov et Keith Primeau des Red Wings ont certainement aidé les Devils à remporter le championnat.

Contrairement à certains de ses collègues de la LNH qui eux aussi ont gagné le championnat à plusieurs reprises, Stevens a savouré les trois Coupes Stanley qu'il a remportées au New Jersey avec un égal plaisir. «Chaque victoire est spéciale, a-t-il déclaré en 2006, lors de la cérémonie soulignant le retrait de son numéro. Ça faisait déjà 14 ans que je jouais dans la LNH quand j'ai gagné la première, en 1995. Je me demandais si ça allait arriver un jour. »

Tant les coéquipiers que les adversaires de Stevens respectaient sa grande robustesse. Mais tout comme Murray l'avait prévu, le défenseur a fini par comprendre qu'il pouvait en imposer sans lever le poing ni hausser le ton. À partir de 1996 et jusqu'à la fin de sa carrière, il n'a pas dépassé le cap des 100 minutes de pénalité par saison.

« Stevens avait une présence incroyable, dit Jay Pandolfo, son coéquipier des Devils pendant huit ans. Les joueurs le craignaient. Ils savaient qu'ils devaient se méfier et qu'ils pouvaient s'attendre à n'importe quoi venant de lui. Mais il avait aussi du leadership et de la constance. Qu'on soit au milieu de la saison régulière ou au septième match de la finale de la Coupe, il jouait toujours avec la même intensité. Il donnait toujours le meilleur de lui-même, et en retour, il attendait la même chose des autres. « Il n'avait pas besoin de parler. Un regard suffisait. C'était un guerrier suprême. »

> « Il avait une présence incroyable. Les joueurs le craignaient. »
>
> – Jay Pandolfo

Les éliminatoires de 2000 sont à marquer d'une pierre blanche pour Stevens. En neutralisant plusieurs joueurs, notamment Eric Lindros des Flyers de Philadelphie en demi-finale, il a non seulement remporté la Coupe Stanley, mais le trophée Conn Smythe. « C'est fantastique de se voir décerner le Conn Smythe, dit Stevens. C'est tout un honneur de faire partie de la brochette de joueurs qui ont reçu ce prix. »

Après avoir gagné son troisième championnat en 2003, Stevens a subi une commotion qui l'a obligé à se retirer du jeu au milieu de la saison 2003-04. Il a annoncé qu'il prenait sa retraite en 2005 et devrait bientôt être intronisé au Temple de la renommée.

À ce qu'on dit, sa présence fait cruellement défaut. « On ne remplace pas Scott Stevens, dit Pandolfo. Il était unique en son genre. »

– AP

27

Gilbert Perreault

Le Sabre sublime

Gilbert Perreault était un magnifique joueur. Il avait une puissante foulée, une vision sensationnelle et une étonnante facilité à se faufiler pour passer à l'attaque.

C'est à Victoriaville, cette véritable fabrique de hockeyeurs, que Perreault a mis au point de telles aptitudes. « Quand j'étais enfant, dit celui qui n'a pas chaussé de patins avant d'avoir huit ans, il y avait assez de joueurs à la patinoire pour former trois équipes. J'essayais de tricoter à travers tout le monde. Je jouais peewee, bantam et midget. Ça veut dire que chaque samedi je participais à trois matchs de trois niveaux différents. »

Quel talent ! Mais quel mauvais *timing* !

Pendant longtemps, les Canadiens de Montréal ont eu les droits exclusifs des deux premiers choix de repêchage parmi les joueurs francophones junior. Mais cette prérogative leur a été retirée en 1970, l'année de la seconde vague d'expansion de la LNH. La ligue s'est également assurée que le Tricolore ne contournerait pas les nouveaux règlements en interdisant aux Sabres de Buffalo et aux Canucks de Vancouver – nouvelles équipes au sein de la ligue et à ce titre, avantagées au chapitre du repêchage – d'échanger leurs premières recrues avant trois saisons.

Si Perreault était né un an plus tôt, il aurait été en âge d'entrer dans la LNH en 1969 et serait passé directement du Canadien Junior au célèbre Tricolore. Il aurait alors pris le relais de son idole Jean Béliveau, originaire lui aussi de Victoriaville, et partagé la gloire d'un club qui a raflé non moins de six Coupes Stanley dans les années 70.

Mais rien de tout cela ne s'est produit. Perreault a été admissible au repêchage de 1970 et, bien entendu, les Sabres s'en sont emparés. Résultat: il a mené une carrière mémorable autant pour ses exploits que pour ce qu'il n'a pas pu accomplir. Si Perreault a été génial pendant ses 10 premières années au sein de la LNH, il n'a jamais permis aux Sabres de remporter une Coupe Stanley. Cela lui a valu une réputation de joueur peu fiable en situation critique.

Sa participation à la Série du siècle de 1972 n'a guère arrangé les choses. Vic Hadfield, Jocelyn Guévremont, Rick Martin et Perreault ont laissé l'équipe canadienne en plan après deux matchs seulement. Le DG des Sabres, Punch Imlach, était impatient de voir revenir Perreault et Martin au camp d'entraînement. Les quatre joueurs avaient beau avoir reçu la bénédiction de l'Équipe Canada, ils n'en ont pas été moins perçus comme des traîtres à leur patrie par le public canadien.

> « Quand j'étais enfant, il y avait assez de joueurs à la patinoire pour former trois équipes. J'essayais de tricoter à travers tout le monde. »
>
> **– Gilbert Perreault**

Ken Dryden était d'avis que Perreault n'était pas en mesure de mener son équipe à la victoire. « Un grand joueur est un leader. Son caractère et sa personnalité doivent être à la hauteur de ses compétences, écrit Dryden dans son ouvrage *The Game,* au sujet de la finale de la Coupe Stanley de 1975. C'est la raison pour laquelle les Flyers ont gagné et les Sabres ont perdu. »

Perreault soutient que les Sabres n'ont jamais pu aspirer à la Coupe Stanley parce qu'ils étaient toujours à court de « deux ou trois joueurs ». Il considère que les circonstances n'ont pas joué en sa faveur. « Avec le Canadien Junior, j'ai remporté deux Coupes Memorial en trois ans, dit-il. Mais c'était une équipe formidable. Ce n'est jamais l'affaire d'un seul joueur et c'est souvent une question de chance. Il s'agit d'être au bon endroit au bon moment. Beaucoup d'excellents joueurs n'ont jamais vu leur nom gravé sur la Coupe. »

Mais Perreault aurait pu orienter sa carrière autrement dans les années 80. Après avoir pris brusquement sa retraite à la fin de la saison 1985-86, il a été courtisé par les Oilers d'Edmonton, qui avaient déjà raflé deux Coupes Stanley (et qui en ont récolté trois de plus). Il aurait pu côtoyer Wayne Gretzky et Jari Kurri, et aurait eu la chance de boire du champagne dans la Coupe Stanley, mais il a préféré retourner à Buffalo.

Perreault s'est retiré pour de bon en 1986-87, au terme d'une vingtaine de rencontres. Après son dernier match, il s'est contenté de saluer ses coéquipiers des Sabres sans autre forme de procès. « J'en avais assez, a dit Perreault à l'époque. Je n'étais plus satisfait de ma performance et ça m'a enlevé le goût de jouer. Dorénavant, je vais le faire seulement pour le plaisir. Je ne veux plus subir de pression. »

Ah, la fameuse pression ! De l'avis de nombreux observateurs, Perreault était incapable d'y faire face lors des éliminatoires. En 1986, il a lui-même admis qu'il aurait pu faire mieux. « Je crois qu'après 16 ans dans la LNH, j'ai mené une carrière respectable, déclarait-il. Mais elle aurait pu être plus brillante. »

– KC

Gilbert Perreault, centre
Né le 13 novembre 1950

Carrière au sein de la LNH :	1970-87
Équipes :	Buffalo
Fiche (saisons régulières) :	512 buts, 814 passes, 1 326 points en 1 191 matchs
Fiche (séries éliminatoires) :	33 buts, 70 passes, 103 points en 90 matchs
Trophées :	
• Calder	1 (1971)
• Lady Byng	1 (1973)
Nominations – 1re équipe d'étoiles :	0
Nominations – 2e équipe d'étoiles :	2 (1976, 1977)
Coupes Stanley :	0
Ce qu'on dira de lui :	L'attaquant le plus talentueux de l'histoire des Sabres.

28

Bernie Parent

Le tyran du filet

De nombreux joueurs qui cherchaient l'occasion de faire leurs preuves ont profité de l'expansion de la LNH en 1967. Le gardien de but Bernie Parent était de ceux-là.

« En rétrospective, on peut dire que le hockey en général a bénéficié de l'expansion, dit Parent. Pour moi, le *timing* a été parfait. » Membre du Temple de la renommée depuis 1984, Parent a en effet permis aux Flyers de Philadelphie de remporter la Coupe Stanley en 1974 et en 1975.

« Je n'ai pas passé beaucoup de temps avec les Maple Leafs de Toronto, poursuit Parent, mais je n'oublierai jamais les paroles de Dave Keon : "Gagner la Coupe Stanley, ça dépasse tes rêves les plus fous." Sur le coup, je me demandais ce qu'il voulait dire, mais j'ai compris quand on a gagné les deux Coupes à Philadelphie. »

À l'époque, le natif de Montréal était le meilleur gardien de but de la LNH. Il a raflé les trophées Conn Smythe et Vézina deux années d'affilée, et en 1973-74, a enregistré un nombre record de 47 victoires, qui est resté inégalé pendant 33 ans. Seul Martin Brodeur a fait mieux en 2006-07 avec 48 victoires (dont une dizaine, précisons-le, attribuables à des tirs en fusillade).

Les Flyers étaient peut-être reconnus pour leurs assauts, mais ils ont trouvé en Parent un solide bouclier. Et ils ne l'ont jamais aussi peu ménagé que pendant le championnat de 1974. En finale, Parent n'a alloué que huit buts aux Bruins de Boston et il les a blanchis lors du sixième et dernier match qui a valu la Coupe à son équipe.

« **En fait, ce qui nous distinguait, c'est qu'on se protégeait les uns les autres.** »

– Bernie Parent

« Ç'a l'air d'un cliché, mais j'ai eu beaucoup d'aide, dit Parent, dont l'étonnante moyenne des buts alloués en 1973-74 était de 1,89. Je suis très fier d'avoir joué pour le meilleur club de la LNH. Ed Snider (propriétaire des Flyers) était un type extraordinaire. Il avait beaucoup de flair et il a été l'élément catalyseur de notre succès. »

Si Parent reconnaît que les Flyers faisaient appel à la brutalité, il soutient que l'intimidation n'était pas leur seul outil. « C'est vrai qu'on avait des durs à cuire dans notre équipe, mais aussi beaucoup de joueurs compétents, dit-il. C'est essentiel pour remporter le championnat. En fait, ce qui nous distinguait c'est qu'on se protégeait les uns les autres. C'est la raison pour laquelle les autres équipes avaient tant de mal à nous battre. »

La carrière de Parent n'a pas toujours été aussi brillante. À l'époque de l'Original Six, lorsqu'il jouait pour les Bruins de Boston, il a accumulé 15 victoires, 32 défaites et 5 matchs nuls entre 1965 et 1967.

Il a amélioré sa moyenne des buts alloués lorsqu'il est passé aux mains des Flyers, mais après un peu plus de trois ans, il a été écarté au profit de l'étoile montante Doug Favell. Au milieu de la saison 1970-71, le DG Keith Allen a cédé Parent aux Maple Leafs dans le cadre d'une transaction tripartite qui permettait au Bruins Rick MacLeish d'enfiler l'uniforme des Flyers.

« J'étais dévasté, dit Parent. Je l'ai très mal pris, car je ne voulais pas quitter Philadelphie. Mais en fin de compte, ce transfert m'a permis de réfléchir à ma carrière. À Toronto, j'ai côtoyé mon idole de jeunesse, Jacques Plante, de qui j'ai beaucoup appris. Cette rencontre est l'une des meilleures choses qui me soient arrivées. »

Plante a aidé le jeune gardien à retrouver sa confiance, si bien que Parent a pris un risque qu'aucun autre joueur de la LNH n'avait encore osé accepter : il a signé un contrat avec une équipe de la toute nouvelle Association mondiale de hockey. Mais à cause d'un différend contractuel, Parent a quitté les Blazers de Philadelphie de l'AMH au bout d'un an, au beau milieu des éliminatoires de 1973. Après un bras de fer avec le propriétaire des Maple Leafs, Harold Ballard, il s'est arrangé pour revenir avec les Flyers juste à temps pour le début de la saison 1973-74.

« Je leur en avais voulu de m'avoir échangé, mais quand j'ai décidé de revenir, j'ai tiré un trait sur cette histoire, dit Parent. Je pouvais voir qu'on était sur le point d'accomplir de bonnes choses, et j'étais plus résolu que jamais à gagner le championnat. Heureusement pour moi, c'est arrivé l'année de mon retour. »

Bernie Parent, gardien de but
Né le 3 avril 1945

Carrière au sein de la LNH :	1965-79
Équipes :	Boston, Philadelphie, Toronto
Fiche (saisons régulières) :	271 victoires, 198 défaites, 121 matchs nuls ; moyenne des buts alloués de 2,54, 54 blanchissages en 608 matchs
Fiche (séries éliminatoires) :	38 victoires, 33 défaites ; moyenne des buts alloués de 2,42 ; 6 blanchissages en 71 matchs
Trophées :	
• **Conn Smythe**	2 (1974, 1975)
• **Vézina**	2 (1974, 1975)
Nominations – 1re équipe d'étoiles :	1 (1975)
Nominations – 2e équipe d'étoiles :	0
Coupes Stanley :	2
Ce qu'on dira de lui :	Le seul gardien de but qui a remporté le trophée Conn Smythe deux années consécutives.

La chance de Parent avait tourné. Les félicitations des collègues et l'adoration des fans ont suivi. « La première fois qu'on a gagné la Coupe, on s'attendait à ce que 100 000 personnes viennent célébrer avec nous, dit Parent, qui a été le premier athlète professionnel à faire la couverture du magazine *Time* en 1974. Finalement, il y en a eu plus de deux millions. La ville au complet était en liesse. C'était magnifique. »

La carrière de Parent a connu une fin abrupte en 1979 lorsqu'il a reçu un coup de bâton dans l'œil, un accident qui lui a laissé des séquelles permanentes. Il n'avait que 34 ans, mais il a quitté le hockey sans amertume.

« Les choses ont assez bien tourné pour moi en fin de compte, conclut Parent. J'ai pu jouer pendant 15 ans. C'est déjà beaucoup. C'est sûr que je serais resté encore quelques années si j'avais pu. Mais j'ai quand même fait partie d'une équipe qui a remporté deux Coupes Stanley. Certains joueurs passent 20 ans dans la ligue sans jamais gagner le championnat. Alors, je considère que j'ai été chanceux. »

– AP

29

Ken
Dryden

L'homme de
la renaissance

Bien que Ken Dryden n'ait gardé le filet des Canadiens de Montréal que pendant sept saisons, il a exercé une influence majeure sur le hockey. Et les réflexions qu'il a livrées dans un ouvrage désormais classique, *The Game,* sont tout aussi brillantes que sa performance sur la glace. Si vous avez vu jouer Dryden ou lu ses écrits, vous saurez qu'il maniait aussi bien la plume que le bâton. C'est le plus beau compliment qu'on puisse lui faire.

Dryden a grandi dans la banlieue torontoise d'Etobicoke, en Ontario. Ce grand gaillard de 1,93 m avait de nombreux intérêts dans la vie. Pendant ses études en histoire à l'Université Cornell, il a trouvé le temps de garder le filet du Big Red (l'équipe de hockey universitaire) lors du championnat de 1967 de la National Collegiate Athletic Association et de rafler trois titres de l'Eastern Collegiate Athletic Conference.

Bien que sélectionné au 14e rang du repêchage de 1964 par les Bruins de Boston, Dryden a préféré poursuivre ses études. Il a été échangé contre Guy Allen et Paul Reid des Canadiens de Montréal et n'a commencé à jouer pour les Voyageurs de Montréal (LAH) qu'une fois son diplôme en poche, en 1970-71.

> « J'ai ressenti quelque chose d'exceptionnel lorsque je me suis retrouvé au croisement d'attentes, d'espoirs, d'une équipe et d'un sport. »
>
> **– Ken Dryden**

Son apprentissage n'a pas été long. Dryden a intégré le club de la LNH vers la fin de la saison et a inscrit 6 victoires, aucune défaite, aucun match nul et une moyenne des buts alloués de 1,65. Mais c'est pendant les éliminatoires qu'il s'est vraiment dépassé. Grâce à sa moyenne des buts alloués de 3,00, Dryden a en effet aidé les Canadiens à vaincre les Bruins de Boston en quart de finale avant de rafler le trophée Conn Smythe et sa première Coupe Stanley.

À l'instar de beaucoup de ses confrères de la LNH, Dryden faisait preuve d'humilité. « La vie est plus facile pour le gardien de but des Canadiens, a-t-il déclaré à l'époque à la revue *The Hockey News*, car il a relativement peu de rondelles à arrêter. Les défenseurs sont excellents. Les attaquants comptent beaucoup de buts. C'est une équipe gagnante. C'est très bien. »

En 1971-72, Dryden a prouvé que sa performance de la saison précédente n'était pas un coup de chance. Il a enregistré 39 victoires, 8 défaites, 15 matchs nuls et une moyenne des buts alloués de 2,24. Et comme il avait encore le statut de recrue, il a remporté le trophée Calder. Il était clair que le jeune gardien était un élément essentiel de l'avenir du Tricolore.

Ken Dryden, gardien de but
Né le 8 août 1947

Carrière au sein de la LNH :	1970-79
Équipes :	Montréal
Fiche (saisons régulières) :	258 victoires, 57 défaites, 74 matchs nuls ; moyenne des buts alloués de 2,23 ; 46 blanchissages en 397 matchs
Fiche (séries éliminatoires) :	80 victoires, 32 défaites ; moyenne des buts alloués de 2,40 ; 10 blanchissages en 112 matchs
Trophées :	
• **Calder**	1 (1972)
• **Conn Smythe**	1 (1971)
• **Vézina**	5 (1973, 1976, 1977, 1978, 1979)
Nominations – 1re équipe d'étoiles :	5 (1973, 1976, 1977, 1978, 1979)
Nominations – 2e équipe d'étoiles :	1 (1972)
Coupes Stanley :	6
Ce qu'on dira de lui :	Un courte carrière remplie de victoires d'équipe et d'honneurs personnels.

L'année suivante, Dryden s'est vu décerner le premier de ses cinq trophées Vézina et une deuxième Coupe Stanley, et a représenté le Canada à la Série du siècle. Puis, il a secoué le milieu du hockey en annonçant qu'il prenait sa retraite. Il avait 26 ans.

En réalité, il s'agissait plus d'un mouvement de protestation que d'une retraite. Celui qu'on a comparé à une girafe (*dixit* Phil Esposito des Bruins de Boston) et à une pieuvre sur glace, ne s'était pas entendu avec la direction des Canadiens sur sa rémunération.

Dryden a profité de cette pause pour préparer son diplôme de droit, un rêve qu'il caressait depuis des années. Il s'est toutefois farouchement défendu contre la rumeur voulant qu'il abandonne le sport pour se battre dans une autre arène. « On me considère comme un intellectuel, alors que je suis plutôt sportif, a-t-il dit à l'époque. J'aspire peut-être à un autre genre de vie, mais je ne veux pas abandonner l'athlétisme. »

Dryden est revenu chez les Canadiens en 1974, mais il a dû attendre la saison suivante pour remporter la Coupe Stanley contre les Flyers de Philadelphie. C'était le premier d'une série de quatre championnats consécutifs pour le Tricolore. Au centre des stratégies gagnantes de son équipe, Dryden a établi un record d'équipe avec 42 victoires en 1975-76, et a inscrit 41 victoires, 6 défaites et 8 matchs nuls en 1976-77, année où les Canadiens n'ont perdu que 8 matchs.

Mais ce n'était pas assez pour Dryden. « Je n'ai pas vraiment apprécié la saison (1976-77) parce que j'ai été trop gâté, dit-il. On a gagné trop facilement. S'il n'y a pas de défi, il n'y a plus de plaisir. »

Deux ans plus tard, Dryden a pris sa retraite pour de bon. Il a été intronisé au Temple de la renommée en 1983. « J'ai ressenti quelque chose d'exceptionnel lorsque je me suis retrouvé au croisement d'attentes, d'espoirs, d'une équipe et d'un sport, écrit Dryden en 1983 dans *The Game* pour décrire la dernière étape de sa carrière. C'est encore plus précieux après 8 ans et presque 500 matchs. Chaque fois que je me remémore ce sentiment, je tente de le retenir le plus longtemps possible. »

Avec *The Game,* Dryden a laissé au milieu du hockey un essai intemporel. Mais ce n'est pas sa seule contribution à la société. En plus d'avoir publié d'autres ouvrages sur le hockey amateur, il a écrit sur l'enseignement et s'est lancé en politique fédérale en 2004.

Dryden a toujours eu plusieurs cordes à son arc, mais sa passion pour le hockey ne s'est jamais tarie. Il en a d'ailleurs conçu une philosophie qu'on peut percevoir dans l'extrait suivant : « Pour gagner en pratiquant un sport d'équipe, écrit-il, il faut des joueurs qui ont des enjeux pratiques et affectifs vis-à-vis de ce sport, des joueurs qui incarnent ce sport, qui en rappellent l'essence chaque fois qu'on se surprend à l'oublier, qui constituent la conscience même de l'équipe, des joueurs comme Bob Gainey. » Et comme Ken Dryden.

– AP

30

Peter Stastny

Et il passe... à l'Ouest !

Lorsqu'il était adolescent dans sa Tchécoslovaquie natale, Peter Stastny recevait régulièrement de Montréal un paquet qui contenait des vieux numéros de *The Hockey News*. Même si lui et ses amis ne comprenaient pas un traître mot d'anglais, ils dévoraient les photos des yeux, en s'efforçant de déchiffrer les noms.

« On n'en revenait pas, se rappelle Stastny. Des magazines entiers sur le hockey. On ne se lassait pas de regarder les photos en couleurs de Bobby Hull, Bobby Orr et Stan Mikita, qui était mon héros. On en prenait soin comme de la prunelle de nos yeux. » Et pour cause. Il se souvient de s'être fait voler un exemplaire du *Time* qui présentait le réformateur slovaque Alexander Dubcek en couverture.

Quarante ans plus tard, Stastny est un véritable citoyen du monde. Lorsqu'on regarde son évolution personnelle, on constate qu'elle reflète celle de la société occidentale : il a représenté la Tchécoslovaquie lors de nombreux championnats de hockey internationaux dans les années 70, dont la Coupe Canada en 1976, le Canada lors de la Coupe Canada de 1984 et la Slovaquie lors des Jeux olympiques de 1994 et de 1995 ; il a été intronisé au Temple de la renommée en 1998 ; et il est membre du Parlement européen. Ses fils Yan et Paul, qui jouent également au hockey au sein de la LNH, ont représenté les États-Unis lors de championnats internationaux.

Stastny est arrivé en Amérique du Nord après que les Nordiques de Québec l'eurent aidé à passer à l'Ouest lors d'un tournoi en Autriche en 1980. Digne d'un roman d'espionnage sur la Guerre froide, cet événement a permis par la suite aux hockeyeurs des quatre coins du monde de venir tenter leur chance dans la meilleure ligue qui soit.

Mais si Stastny et ses frères, Marion et Anton, ont pu réaliser leur rêve, ils l'ont payé cher en coups, blessures et insultes. Après certains matchs, Peter ne pouvait pas se servir de sa main gauche couverte de bleus pour conduire, car elle était trop douloureuse.

« Sur la patinoire, les joueurs de l'équipe adverse ne se gênaient pas pour m'accrocher, me retenir, etc., dit Stastny. Je me demande ce que j'aurais fait aujourd'hui. Ça ne me dérangeait pas de me faire traiter de "voleur de job", mais je voyais rouge quand ils m'appelaient "le communiste". J'avais envie de tuer dans ces moments-là. J'avais justement fui mon pays parce que je détestais le régime communiste. »

Mais contrairement à de nombreux joueurs, Stastny ne s'est pas laissé faire. Aussi robuste que talentueux, il s'est vite rendu compte que, pour réussir en Amérique du Nord, il avait intérêt à s'imposer, même si pour cela il devait rendre coups pour coups. Lors d'un de ses premiers matchs au sein de la LNH, Mel Bridgman des Flyers de Philadelphie lui est rentré dedans avec une telle force qu'il en a perdu ses gants en tombant. Mais il a fini à prendre le dessus et a mérité le respect de ses pairs. « Je n'avais pas vraiment le choix », dit Stastny.

> **« Non seulement c'est un magnifique patineur, mais à mon avis, c'est l'un des joueurs les plus difficiles à arrêter. Encore plus que Wayne Gretzky. »**
>
> **– Mike O'Connell**

Pendant ses 9 années avec les Nordiques, Stastny a compté au moins 30 buts par saison (sauf en 1986-87). Mais on se souvient surtout de lui comme d'un joueur complet. En 1982-83, sa fiche de 124 points et 47 buts a fait dire à l'entraîneur des Canadiens de Montréal, Bob Berry, qu'il était le meilleur centre de la LNH, Wayne Gretzky y compris.

Berry n'était pas le seul à avoir cette opinion. Après tout, seul Gretzky a marqué plus de points dans les années 80 que Stastny. Celui-ci a d'ailleurs grandement contribué à la victoire des Nordiques contre Boston durant les quarts de finale de 1982. À un moment donné, un fan des Bruins a brandi une pancarte qui insultait les « sœurs Stastny », ce qui a eu l'heur d'attiser son désir de gagner. « Après la série, se rappelle Stastny, je me suis moqué des Bruins en disant qu'une "poignée de sœurs" leur avaient fait mordre la poussière. »

Mike O'Connell, défenseur des Bruins, ne tarissait pas d'éloge sur Stastny. « Non seulement c'est un magnifique patineur, a-t-il déclaré après la série, mais à mon avis, c'est l'un des joueurs les plus difficiles à arrêter. Encore plus que Wayne Gretzky. »

Stastny n'a jamais craint de monter à l'assaut. Il a quitté son poste de DG de l'équipe de hockey slovaque en raison de ses nombreux accrochages avec la fédération du hockey. Sa combativité remonte aussi loin qu'à l'époque où il voulait faire un pied de nez au régime communiste. Il se souvient très bien du 21 août 1968, le jour où les Soviétiques ont envahi la Tchécoslovaquie.

« Mon père était très inquiet pour mon frère qui était à l'université, raconte Stastny, qui avait 12 ans à l'époque. Il craignait qu'il aille braver les tanks. Je lui ai rétorqué que c'était exactement ce qu'il était censé faire. Je pense que j'étais un peu rebelle. »

– KC

Peter Stastny, centre
Né le 18 septembre 1956

Carrière au sein de la LNH :	1980-95
Équipes :	Québec, New Jersey, Saint-Louis
Fiche (saisons régulières) :	450 buts, 789 passes, 1 239 points en 977 matchs
Fiche (séries éliminatoires) :	33 buts, 72 passes, 105 points en 93 matchs
Trophées :	
• Calder	1 (1981)
Nominations – 1re équipe d'étoiles :	0
Nominations – 2e équipe d'étoiles :	0
Coupes Stanley :	0
Ce qu'on dira de lui :	Ce pionnier européen de la LNH est le deuxième meilleur compteur des années 80.

31

Al MacInnis

L'as du lancer frappé

La légende de Al MacInnis s'est bâtie autour de ses lancers frappés dévastateurs. Pourtant, ce hockeyeur d'élite aurait mérité qu'on reconnaisse d'autres aspects de son jeu.

« Je crois qu'on n'a pas suffisamment fait honneur à sa stratégie de défense qui était brillante, dit son coéquipier de Calgary Joe Nieuwendyk. Peut-être qu'il ne patinait pas aussi bien que Scott Niedermayer, mais il savait se positionner et il était un attaquant exceptionnel. Et c'était un compétiteur féroce, l'un des meilleurs joueurs complets avec qui j'ai joué. »

Originaire d'Inverness, en Nouvelle-Écosse, MacInnis a passé la fin de son adolescence en Ontario. Son jeu au sein des Rangers de Kitchener de la LHO lui a valu le titre de meilleur défenseur de la ligue en 1983.

Mais à cause de certaines faiblesses, MacInnis n'a été sélectionné qu'au 15e rang du repêchage de 1981 par les Flames de Calgary et n'a joint le club de la LNH qu'en 1983-84. « Il fallait qu'il améliore son jeu défensif, avait dit le DG des Flames Cliff Fletcher à *The Hockey News* à l'époque. Mais on s'est dit qu'avec son lancer et ses passes, il y aurait toujours de la place pour lui au sein de la LNH, même comme joueur spécialisé. C'est parce qu'il a travaillé sur ses points faibles qu'il est devenu le joueur qu'il est maintenant. »

Le 17 janvier 1984, lors d'un match des Flames contre les Blues de Saint-Louis, MacInnis a haussé sa cote. Depuis la ligne bleue, il a fait un long tir frappé qui a littéralement fendu le masque du gardien de but Mike Liut avant de traverser la ligne du but. « C'est à ce moment-là qu'il est entré dans la légende, dit l'entraîneur adjoint des Flames », Bob Murdoch.

MacInnis est en effet devenu célèbre pour ses bombes larguées depuis la ligne bleue. Et ceux qui en ont fait l'expérience ne sont pas près de les oublier. « Il y a le tir frappé et il y a le tir frappé de MacInnis, a dit Liut en 1984. J'ai failli y rester. »

« C'est le genre de tir qu'on craint parce qu'il est extrêmement puissant, ajoute le vétéran Don Edwards. Al contrôlait totalement son tir. La rondelle volait à 40 cm au maximum, directement dans la zone que le gardien a de la difficulté à bloquer avec ses jambes. »

Gagnant de sept concours de tirs au but lors de Matchs des étoiles, MacInnis ne savait pas vraiment lui-même ce qui rendait son lancer exceptionnel. « C'est probablement une question de *timing* et de coordination, dit-il, surtout de *timing*. »

Entre 1986 et 1994, MacInnis a pratiquement toujours compté une vingtaine de buts par saison. Si sa performance a laissé à désirer pendant la saison régulière de 1988-89, il s'est ressaisi lors des éliminatoires, en enregistrant 31 points et 24 passes qui ont aidé les Flames à remporter la seule Coupe Stanley de leur histoire. Il a également remporté le trophée Conn Smythe.

Au tournant des années 90, MacInnis a battu ses propres records : 28 buts en 1989-90 et en 1990-91, et 103 points en 1990-91. Mais il n'a pas réussi à s'entendre avec les Flames sur la question salariale, et en 1994, ils l'ont échangé contre Phil Housley et quelques choix de repêchage des Blues. Il a continué de jouer de façon magistrale avec l'équipe de Saint-Louis.

> « Je crois qu'on n'a pas suffisamment fait honneur à sa stratégie de défense. »
>
> – Joe Nieuwendyk

En 1998-99, après avoir participé à une dizaine de Matchs des étoiles, MacInnis a obtenu son premier trophée Norris. Il avait alors 36 ans. « On n'est pas censé gagner ce trophée à cet âge-là, a-t-il dit en 2006. Mais je pense que le fait de participer à des championnats mondiaux, avec l'élite des joueurs de 20 à 30 ans, m'a aidé à me garder jeune. »

À l'échelle internationale, MacInnis a représenté le Canada au championnat de la Coupe Canada en 1991, aux Jeux olympiques de 1998, à Nagano, au Japon, et à ceux de 2002, à Salt Lake City. « Après les Jeux de Nagano, dit-il, je pensais que je ne participerais plus aux Olympiques. Et finalement, j'y suis retourné et on a remporté la médaille d'or. Je me souviens de ma femme et de mes enfants qui paradaient avec la médaille autour du cou. C'était inouï. »

En 2003-04, après seulement trois matchs, MacInnis a été obligé de cesser de jouer à cause d'une tache aveugle à l'œil, séquelle d'une blessure subie en 2001. Il a pris sa retraite en 2005 avec une fiche de 1 274 points en carrière, le troisième meilleur score pour un défenseur dans toute l'histoire de la LNH.

Lorsque les Blues ont hissé son chandail et retiré son numéro, le 9 avril 2006, MacInnis a finalement senti tout le poids de ses exploits. « J'aimerais encore jouer, le temps de faire un lancer frappé depuis la ligne bleue pour rendre hommage aux amateurs, a-t-il dit. Mais je suis déjà comblé de voir mon numéro suspendu ici pour toujours. Je serai toujours un Blues de Saint-Louis. »

– AP

Al MacInnis, défenseur
Né le 11 juillet 1963

Carrière au sein de la LNH :	1981-2004
Équipes :	Calgary, Saint-Louis
Fiche (saisons régulières) :	340 buts, 934 passes, 1 274 points en 1 416 matchs
Fiche (séries éliminatoires) :	39 buts, 121 passes, 160 points en 177 matchs
Trophées :	
• **Conn Smythe**	1 (1989)
• **Norris**	1 (1999)
Nominations – 1re équipe d'étoiles :	4 (1990, 1991, 1999, 2003)
Nominations – 2e équipe d'étoiles :	3 (1987, 1989, 1994)
Coupes Stanley :	1
Ce qu'on dira de lui :	Un défenseur coriace mieux connu pour son prodigieux lancer frappé.

32

Chris Chelios

L'infatigable

Chris Chelios, défenseur

Né le 25 janvier 1962

Carrière au sein de la LNH :	1984-...
Équipes :	Montréal, Chicago, Detroit
Fiche (saisons régulières) :	182 buts, 754 passes, 936 points en 1 547 matchs
Fiche (séries éliminatoires) :	31 buts, 113 passes, 144 points en 246 matchs
Trophées :	
• Norris	3 (1989, 1993, 1996)
Nominations – 1ʳᵉ équipe d'étoiles :	5 (1989, 1993, 1995, 1996, 2002)
Nominations – 2ᵉ équipe d'étoiles :	2 (1991, 1997)
Coupes Stanley :	2
Ce qu'on dira de lui :	Défenseur acharné et talentueux qui, à plus de 40 ans, avait encore une longueur d'avance sur les autres.

Bobby Parker l'ignorait à l'époque, mais c'est lui qui, sur une plage de la Californie, a lancé la carrière de Chris Chelios en 1979. C'est du moins ce qu'on comprend quand on entend Chelios raconter l'anecdote.

Après avoir quitté son Chicago natal, Chelios a passé deux années très formatrices à jouer au hockey dans les ligues locales de San Diego. Mais au moment où il s'apprêtait à entrer dans un club universitaire, il s'est fait damer le pion par une bande de jeunes Canadiens à qui on avait promis des bourses d'études. Croyant sa carrière foutue, il est allé se consoler en faisant du surf. Il est alors tombé sur Parker, l'un des Canadiens en question, qui lui a suggéré de communiquer avec l'entraîneur d'une équipe junior A de Moose Jaw, un endroit que Chelios n'arrivait même pas à repérer sur une carte. Après avoir refusé de prendre le jeune Américain sous son aile, l'entraîneur est revenu sur sa décision lorsqu'il a eu besoin de sang neuf pour remonter la pente.

Depuis, Chelios a fait partie de trois équipes de l'Original Six et a raflé deux Coupes Stanley et trois trophées Norris. L'un des joueurs les plus talentueux et impétueux de sa génération, il offre encore une excellente performance après plus de 20 ans de carrière.

Au sein de la LNH, seuls quatre joueurs combinent au moins 900 points et 2 800 minutes de punition : les avants Dale Hunter, Rick Tocchet et Pat Verbeek, et le défenseur Chris Chelios. Lorsqu'il prendra sa retraite, il détiendra le record des minutes de pénalité des défenseurs ayant compté autant de points en carrière.

« Chris Chelios est né pour jouer au hockey », a dit un jour Craig Ludwig, le partenaire de Chelios chez les Canadiens de Montréal. « Je ne sais pas si je suis *né* pour jouer au hockey, a rétorqué Chelios. Mais, chose certaine, c'était mon destin, car ce n'était pas évident d'arriver à entrer dans la LNH avec mes antécédents. »

Chelios s'est distingué dans toutes les équipes pour lesquelles il a joué. Après avoir représenté les États-Unis aux Olympiques de 1984, il s'est hissé aux premiers rangs des défenseurs des Canadiens de Montréal et a raflé une Coupe Stanley ainsi qu'un trophée Norris. Une transaction qui s'est révélée totalement inéquitable pour Montréal l'a ramené à Chicago, où il s'est véritablement dépassé en remportant deux autres trophées Norris et étant joueur partant de cinq Équipes d'étoiles. À Detroit, il a remporté une deuxième Coupe Stanley, a participé à une première Équipe d'étoiles et a obtenu le différentiel le plus élevé de la LNH (+40). Le plus remarquable dans tout cela, c'est que le joueur a accompli plusieurs de ces exploits après avoir célébré son 40e anniversaire.

Quoique extrêmement talentueux, Chelios était un peu tête brûlée au début de sa carrière. Ce n'est certainement plus le cas aujourd'hui, car il est la constance et l'endurance faites homme. Pendant que ses confrères vétérans profitaient du lockout de 2004-05 pour se reposer, le quadragénaire est allé jouer pour les Motor City Mechanics de la United Hockey League. Il ne s'est pourtant pas ménagé au cours des 20 dernières années. S'il est vrai qu'il a échappé aux rigueurs du hockey junior dans sa prime jeunesse et qu'il a commencé sa carrière professionnelle relativement tard (à 22 ans), il ne faut pas oublier qu'il a souvent joué plus de 30 minutes par match. Tous les bienfaits physiques qu'il aurait pu retirer d'un début de carrière en douceur ont été annulés par la suite.

La discipline de Chelios est légendaire. Quiconque s'entraîne avec lui durant l'été sait qu'il doit être prêt à 6 h du matin, peu importe ce qu'il a fait la veille au soir. Il est fier d'être beaucoup plus en forme que des joueurs bien plus jeunes. « Parfois, je me surprends moi-même, dit-il. Je pense que ça s'explique par le fait qu'il y a environ cinq ans, j'ai cessé de courir pour me mettre au vélo de montagne. J'ai aussitôt cessé d'avoir mal aux articulations. »

> « Chris Chelios est né pour jouer au hockey. »
>
> – Craig Ludwig

Chelios est également bien connu pour sa véhémence. Pendant le lockout de 1994-95, il a menacé la famille du commissaire Gary Bettman à mots couverts. Et dans la foulée du lockout de 2004-05, il a été à la tête d'un mouvement qui a abouti à une enquête puis au congédiement du directeur exécutif de l'Association des joueurs de la Ligue nationale de hockey, Ted Saskin.

Chelios dit qu'il continuera de jouer tant et aussi longtemps que les Red Wings voudront de lui et qu'il s'amuse autant aujourd'hui qu'au début de sa carrière à la LNH, en 1984.

« Chaque été, dit Chelios, mon entraîneur personnel (T.R. Goodman) me parle d'un jeune de 20 ans mon cadet avec qui il travaille et qui apparemment va bientôt me battre. Et même si année après année, ce jeune gagne du terrain, il n'a pas encore réussi à me rejoindre. »

– KC

33

Bobby Hull

Le Jet qui faisait du bruit

«Tous les joueurs de hockey devraient s'incliner devant Bobby Hull », a dit un jour le grand Stan Mikita. Il faisait alors référence aux faits et gestes de son coéquipier qui, au début des années 70, ont contribué à améliorer grandement les conditions salariales des joueurs de la LNH. Mais il aurait tout aussi bien pu évoquer les prodigieux exploits que le Golden Jet a accomplis sur glace.

« Quand je le voyais approcher, a déclaré Ken Dryden lors de son discours d'intronisation au Temple de la renommée en 1983, j'étais paralysé par la peur. En même temps, j'avais juste une envie : m'ôter de là pour ne pas être dans la trajectoire de son terrifiant lancer frappé. » Apparemment, ce fameux tir pouvait atteindre près de 200 km à l'heure.

Mais Hull ne se contentait pas de larguer des bombes. Il était solide, rapide et résistant, et il avait un bâton à la courbe magique et un dangereux partenaire, Stan Mikita. Dès les années 60, sa performance était digne de le faire élire au Temple de la renommée.

En 1961, à l'âge de 22 ans, il a remporté sa seule et unique Coupe Stanley. L'année suivante, il est devenu le troisième joueur de toute l'histoire de la LNH à compter 50 buts en une saison. En 1965, il avait déjà accumulé trois trophées Art Ross (qui couronne le plus grand nombre de buts et de passes de toute la ligue). En 1966, il était le seul joueur de la LNH à avoir atteint le cap des 50 buts à plusieurs reprises.

On peut imaginer qu'un joueur de cette trempe s'est réjoui à la perspective de se mesurer à de nouveaux adversaires à partir de 1967. Connu pour son franc-parler, le natif de Belleville, en Ontario, n'a cependant pas caché son désenchantement par la suite.

« L'expansion de 1967 a été avantageuse jusqu'à un certain point, a dit Hull au magazine *The Hockey News* en 1972. Mais le talent est très dilué. Il y a beaucoup de records irréalistes. En fin de compte, faire partie de LNH n'est plus aussi prestigieux qu'avant. »

Malgré tout, celui qui a fait partie d'une dizaine d'Équipes d'étoiles a continué d'accumuler les prouesses. En 1968-69, il a créé un précédent en enregistrant 107 points, dont 58 buts. Sa saison 1970-71 a aussi été mémorable, mais pas seulement pour les bonnes raisons. Bien qu'il ait marqué 97 points, dont 45 buts, en saison régulière, et 25 points, dont 11 buts, en 18 matchs éliminatoires, les Blackhawks de Chicago ont perdu le septième match de la finale aux mains des Canadiens.

> **« Si les Blackhawks avaient accordé à Hull le salaire qu'il demandait en 1972, l'AMH n'aurait peut-être jamais existé. »**
>
> **– Stan Mikita**

« On aurait dû gagner ces éliminatoires, a dit Hull un jour. J'ai été longtemps amer après ce match. Puis à un moment donné, j'ai décidé de passer à autre chose. J'espère juste avoir une autre chance de jouer un tel match pour le gagner, cette fois. »

Malheureusement, il n'en a pas eu l'occasion. Ses exigences financières l'ont amené à quitter la LNH pour la toute nouvelle Association mondiale de hockey en 1972. Il avait alors marqué 604 buts, un score qui lui a permis de se classer tout juste derrière Gordie Howe, parmi les plus grands compteurs de la LNH.

Hull a créé un précédent en signant avec les Jets de Winnipeg un contrat de 2,75 millions de dollars sur 10 ans. Son départ de la LNH a d'ailleurs obligé les propriétaires des clubs de la ligue à délier les cordons de leurs bourses, car ceux-ci craignaient que d'autres joueurs le suivent. « Si les Blackhawks avaient accordé à Hull le salaire qu'il demandait en 1972, dit Mikita, l'AMH n'aurait peut-être jamais existé. »

Hull n'a pas chômé au sein de la nouvelle ligue. Dès sa première saison, il a compté 51 buts. Il a remporté deux championnats et s'est avéré le joueur le plus utile de la ligue en 1973 et en 1975. En 1974-75, il a également établi un record de 77 buts. Humble, il ne s'est pas approprié tout le mérite de son succès.

« Je dois beaucoup à mes partenaires Anders Hedberg et Ulf Nilsson, a déclaré Hull. Pendant nos premières séances au camp d'entraînement, je voyais bien qu'ils étaient doués. Ils étaient très rapides, savaient manier le bâton et la rondelle, et avaient de l'imagination. L'un de nous trois déblayait le terrain pour permettre aux deux autres d'avancer. On travaillait très bien ensemble. Je ne faisais pas le travail tout seul. »

Hull n'a pas été autorisé à jouer pour l'Équipe Canada lors de la Série du siècle de 1972. Mais il a pu enfiler le maillot rouge et blanc lors de la Coupe Canada de 1976, et a contribué à la victoire de l'équipe canadienne en comptant cinq buts en huit matchs.

Peu de temps après la fusion de l'AMH et de la LNH en 1979, Hull a été cédé aux Whalers de Hartford. Il a pris sa retraite en 1980 avec une fiche de 610 buts en 1 063 matchs.

« Je laisse beaucoup de sang, de sueur et de larmes sur la glace », a dit Hull un jour. Et beaucoup de souvenirs inoubliables, Bobby.

– AP

Bobby Hull, ailier gauche*
Né le 3 janvier 1939

Carrière au sein de la LNH :	1957-72, 1979-80
Équipes :	Chicago, Winnipeg, Hartford
Fiche (saisons régulières) :	240 buts, 215 passes, 455 points en 389 matchs
Fiche (séries éliminatoires) :	22 buts, 32 passes, 54 points en 48 matchs
Trophées :	
• Art Ross	3 (1960, 1962, 1966)
• Hart	2 (1965, 1966)
• Lady Byng	1 (1965)
Nominations – 1ʳᵉ équipe d'étoiles :	4 (1968, 1969, 1970, 1972)
Nominations – 2ᵉ équipe d'étoiles :	1 (1971)
Coupes Stanley :	1
Ce qu'on dira de lui :	Avant de joindre l'AMH, ce magnifique joueur a accompli des exploits avant comme après l'expansion de la LNH.

Ces statistiques ne tiennent pas compte de la période précédant l'expansion.

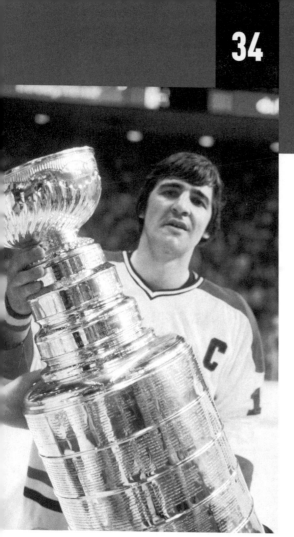

34

Serge Savard

Monsieur Canadien

Tout au long de sa prodigieuse carrière au sein des Canadiens de Montréal, Serge Savard a fait preuve de distinction, de courage et de talent. Et ce qui ne gâtait rien, il savait comment s'y prendre avec les gens. Pas étonnant que ses coéquipiers l'aient surnommé « le sénateur ».

« J'ai été très privilégié, dit le natif de Montréal, qui en 17 ans de carrière a récolté six Coupes Stanley (huit si on compte celles qu'il a remportées à titre de DG du Tricolore) et un trophée Conn Smythe dès sa deuxième saison au sein de la LNH.

« Le hockey, c'était à Montréal que ça se passait, poursuit-il. J'ai eu la chance de côtoyer les meilleurs joueurs, de jouer pour le meilleur club et de travailler avec l'un des meilleurs entraîneurs de tous les temps, Scotty Bowman. J'ai toujours eu beaucoup de respect pour ce sport et pour mes confrères de la LNH. Je me suis toujours efforcé d'être un bon citoyen. »

C'est en 1966, à l'âge de 20 ans, que Savard a fait ses débuts comme professionnel avec l'équipe-école de la Ligue centrale de hockey de Montréal à Houston. Il a joint le Tricolore un an plus tard, à la faveur du départ à la retraite de nombreux vétérans du club montréalais qui ne voyaient pas l'expansion de la LNH d'un bon œil. Lors des éliminatoires de 1969, il a accumulé 10 points, dont 4 buts, en 14 matchs, et a été premier défenseur à obtenir le trophée Conn Smythe. Il est aussitôt devenu une légende locale.

« J'ai été choyé, dit celui qui formait avec Larry Robinson et Guy Lapointe le fameux trio de défenseurs des Canadiens. Je jouais avec une équipe fantastique qui m'utilisait dans toutes les situations. C'est probablement parce que j'avais accumulé beaucoup de points, dont certains importants, que j'ai remporté le trophée Conn Smythe cette année-là. Mais d'autres auraient très bien pu le gagner eux aussi. Je ne pense pas que j'étais le meilleur joueur des séries. »

Si Savard a connu un succès rapide, il a eu aussi son lot de malchance. En 1970-71, une fracture multiple à la jambe l'a obligé à subir trois opérations et à s'absenter pendant la moitié de la saison. De retour au jeu l'année suivante, il s'est de nouveau fracturé la même jambe. « J'ai eu une greffe osseuse, et je n'ai pas pu jouer pendant toute une année, dit-il. Mais j'ai toujours été d'un naturel confiant et je n'ai jamais pensé que ça aurait des conséquences fâcheuses sur ma carrière. Quand j'y repense aujourd'hui, je constate que j'aurais pu rater pas mal de choses, entre autres les Coupes Stanley et l'Équipe Canada en 1972 et en 1976. »

Heureusement que Savard a récupéré ! Il est revenu au jeu en faisant une contribution remarquable à la Série du siècle de 1972. En effet, l'Équipe Canada a remporté contre les Soviétiques quatre des cinq matchs auxquels il a participé (le cinquième a été un match nul).

> « Le hockey, c'était à Montréal que ça se passait. J'ai eu la chance de côtoyer les meilleurs joueurs, de jouer pour le meilleur club et de travailler avec l'un des meilleurs entraîneurs de tous les temps, Scotty Bowman. »
>
> – Serge Savard

En 1973, Savard a battu son propre record en enregistrant 60 points, dont 20 buts et 40 passes, et un différentiel de +71. Entre 1972 et 1979, il a aidé le Tricolore à rafler ses cinq Coupes Stanley, dont quatre d'affilée à partir de 1976. « On avait des joueurs chevronnés et on formait une équipe formidable », dit Savard.

En 1981, après que les Canadiens eurent rapidement été évincés des séries éliminatoires pour une deuxième année consécutive, Savard a annoncé qu'il prenait sa retraite. Plusieurs ont alors pensé que ses blessures l'avaient usé prématurément, mais il soutient que cette décision n'était pas entièrement la sienne. « J'étais le plus vieux joueur de l'équipe, dit-il. Ils pensaient que, s'il y en avait un qui devait partir, c'était moi. Mais un joueur ne veut jamais prendre sa retraite. Il pense qu'il est capable de faire ce qu'il faisait avant. C'est vrai pour un match par-ci par-là, mais pas de façon constante. »

Savard n'a pas pu résister à l'appel du jeu. Au milieu de la saison 1981-82, il a rejoint John Ferguson, son ancien coéquipier des Canadiens devenu DG des Jets de Winnipeg. « Cet automne-là, Fergie m'a appelé pratiquement chaque jour, dit Savard. J'ai fini par accepter, et j'ai beaucoup aimé cette expérience. C'était une équipe jeune, qui avait vraiment besoin de vétérans. Tout le monde y a trouvé son compte. »

Savard a pris sa retraite pour de bon en 1983. Il a alors été nommé DG des Canadiens de Montréal. C'est lui qui est derrière les championnats de 1986 et de 1993. « J'étais proche des joueurs en tant que DG, dit Savard, qui a reçu le trophée Bill Masterton en 1979 pour son dévouement envers le hockey. Au fond, je n'ai jamais été un DG. Je suis toujours resté un joueur. » Ça c'est bien vrai !

– AP

Serge Savard, défenseur*
Né le 22 janvier 1946

Carrière au sein de la LNH :	1966-83
Équipes :	Montréal, Winnipeg
Fiche (saisons régulières) :	106 buts, 333 passes, 439 points en 1 038 matchs
Fiche (séries éliminatoires) :	19 buts, 49 passes, 68 points en 130 matchs
Trophées :	
• **Conn Smythe**	1 (1969)
• **Masterton**	1 (1979)
Nominations – 1ʳᵉ équipe d'étoiles :	0
Nominations – 2ᵉ équipe d'étoiles :	1 (1979)
Coupes Stanley :	8
Ce qu'on dira de lui :	Ce magnifique défenseur a contribué à la victoire des Canadiens tant sur la patinoire que derrière le banc des joueurs.

Ces statistiques ne tiennent pas compte de la période précédant l'expansion.

35

Billy Smith

L'enragé

Jamais gardien de but n'a été aussi craint que William John Smith. Il brandissait son bâton comme une arme et il lui est arrivé de détenir le record des punitions majeures de son équipe. Pourtant, il n'avait pas le courage de demander à son entraîneur de le faire jouer davantage.

« C'est ma plus grosse erreur, dit Smith. Je le regrette énormément. J'aurais dû insister auprès d'Al (Arbour, entraîneur) pour qu'il me fasse jouer davantage. Comme on dit, si jeunesse savait… »

Mais dans les années 70 et 80, les joueurs ne faisaient pas ce qu'ils voulaient. Chez les Islanders, même les superstars comme Bryan Trottier, Mike Bossy et Denis Potvin avaient des contrats bilatéraux avec la LNH et la LAH. Smith n'a jamais osé discuter les décisions d'Arbour ou du DG Bill Torrey. En ce temps-là, Patrick Roy n'aurait certainement pas manifesté son mécontentement en ravageant un vestiaire.

« C'était comme ça, dit Smith. Les joueurs n'avaient pas vraiment leur mot à dire. Mais c'était beaucoup plus pénible pour moi de jouer un match sur deux que de jouer tous les soirs. Et devinez qui se tapait les matchs les plus difficiles… »

Sélectionné par les Kings de Los Angeles au repêchage de 1970, Smith a fait ses classes au sein de la LAH. Il a remporté la Coupe Calder dès sa première saison et a enregistré la meilleure moyenne des buts alloués l'année suivante. Mais en 1971-72, les Kings venaient tout juste de céder quatre joueurs pour acquérir Rogatien « Rogie » Vachon. Optant pour le tandem de gardiens Rogatien Vachon-Gary Edwards, ils ont laissé aller Smith. Les Islanders de New York en ont alors profité pour le repêcher.

Avec les Islanders, Smith a enregistré le plus grand nombre de victoires de la LNH pendant les éliminatoires de 1980 à 1984. Mais en saison régulière, il n'a réalisé cet exploit qu'à une seule occasion, en 1981-82, lorsqu'il a inscrit 32 victoires en 46 matchs. Le reste du temps, il n'a jamais vraiment pu se distinguer, car il partageait ses fonctions avec Chico Resch, Rollie Melanson et Kelly Hrudey. Résultat : il ne jouait que 40 matchs par année en moyenne, sauf en 1974-75 où il a participé à 58 matchs.

> « J'aurais dû insister auprès d'Al (Arbour, entraîneur) pour qu'il me fasse jouer davantage. »
>
> **– Billy Smith**

La personnalité incendiaire de Smith, son manque de constance et ses sautes d'humeur ont certainement influencé la décision des Kings de l'écarter au profit d'Edwards en 1971 et expliquent sans doute pourquoi il n'a pas joué plus souvent avec les Islanders. Très tôt dans sa carrière, le gardien a en effet acquis une réputation de tête brûlée, qu'il n'a jamais essayé de redresser. Ça lui a valu beaucoup d'ennemis, mais aussi beaucoup d'espace dans son filet.

Lors des éliminatoires de 1980, Smith a donné à Lindy Ruff des Sabres un coup dans l'œil qui lui a attiré les foudres de l'ailier de Buffalo. Au début de la saison 1981-82, il est allé attaquer Wayne Gretzky derrière son filet sous prétexte que le joueur d'Edmonton était célèbre pour ses buts sournois.

Même ses coéquipiers n'étaient pas épargnés. Lors du premier camp d'entraînement de Denis Potvin, Smith a fait tomber la précieuse recrue tête première sur la glace parce que ce joueur avait eu le malheur de reculer jusque dans son filet.

Il est étonnant que Smith n'ait été suspendu qu'à une seule occasion, soit après un cinglage qui a fracturé l'os zygomatique (celui de la pommette) de Curt Fraser en 1984-85. « La LNH a cette nouvelle loi, avait-il dit à l'époque. On te suspend si on t'attrape. »

Smith occupait les derniers retranchements d'une équipe fière de compter des membres du Temple de la renommée dans toutes les positions. C'est d'ailleurs lui qui défendait le filet des Islanders de New York lorsqu'ils ont remporté le championnat de la Coupe Stanley, quatre années consécutives, de 1980 à 1983. Smith a également dominé les séries de 1983 en enregistrant 13 victoires et une moyenne des buts alloués de 2,68 ; il a obtenu le trophée Conn Smythe cette année-là. « Ma performance pendant les éliminatoires démontre que je suis digne de la LNH, a dit Smith en 1985. Si je suis le seul à le voir, c'est que quelque chose ne tourne pas rond. »

Mais on ne saurait parler de la carrière et du talent de Smith sans aborder son agressivité. Ce qui, 20 ans après son départ pour la retraite, le met encore en rogne.

– KC

Billy Smith, gardien de but
Né le 12 décembre 1950

Carrière au sein de la LNH :	1972-89
Équipes :	Los Angeles, Islanders de NY
Fiche (saisons régulières) :	305 victoires, 233 défaites et 105 matchs nuls ; moyenne des buts alloués de 3,17 ; 22 blanchissages en 680 matchs
Fiche (séries éliminatoires) :	88 victoires et 36 défaites ; moyenne des buts alloués de 2,73 ; 5 blanchissages en 132 matchs
Trophées :	
• **Vézina**	1 (1982)
• **Jennings**	1 (1983)
• **Conn Smythe**	1 (1983)
Nominations – 1re équipe d'étoiles :	1 (1982)
Nominations – 2e équipe d'étoiles :	0
Coupes Stanley :	4
Ce qu'on dira de lui :	Ce terrifiant gardien restait maître de son filet à force de cinglages impitoyables.

36

Brad Park

Le patrouilleur de la ligne bleue

Brad Park, l'un des plus grands défenseurs offensifs de tous les temps, considère que les joueurs de son acabit sont une espèce en voie de disparition. « Les défenseurs qui savent manier la rondelle sont un atout précieux, dit celui qui a été intronisé au Temple de la renommée en 1988. Des gars comme Scott Niedermayer, (Nicklas) Lidstrom ou (Chris) Chelios ont le sens du *timing*. Mais actuellement, on n'en retrouve plus beaucoup dans la LNH. Je suppose qu'il faudra attendre la prochaine génération pour qu'ils refassent leur apparition. »

Park a commencé à jouer comme professionnel en 1965 avec les Marlboros de Toronto, de la Ligue de hockey de l'Ontario. Il n'a pas tardé à y faire ses preuves et a été sélectionné au deuxième rang du repêchage de 1966 par les Rangers de New York.

Lors de sa première saison avec les Rangers, en 1968-69, Park a enregistré près d'un demi-point par match. L'année suivante, alors qu'il était le plus jeune joueur de son club à faire partie de la première Équipe d'étoiles, il a été finaliste pour le trophée Norris (remis à Bobby Orr). Au cours des quatre années suivantes, sa performance n'a fait que s'améliorer, et il a fini par devenir le plus grand compteur parmi les défenseurs de l'équipe new-yorkaise.

Modeste, Park attribue une grande part de son succès à ses coéquipiers. « Chez les Islanders, il y avait des gars qui faisaient des merveilles avec la rondelle : Jean Ratelle, Rod Gilbert, Phil Goyette, Donnie Marshall, Bobby Nevin. Ils m'ont appris à faire des passes aux bons moments, sans me précipiter, sans attendre trop longtemps non plus. »

Brad Park, défenseur
Né le 6 juillet 1948

Carrière au sein de la LNH :	1968-85
Équipes :	Rangers de NY, Boston, Detroit
Fiche (saisons régulières) :	213 buts, 683 passes, 896 points en 1 113 matchs
Fiche (séries éliminatoires) :	35 buts, 90 passes, 125 points en 161 matchs
Trophées : • Masterton	1 (1984)
Nominations – 1ʳᵉ équipe d'étoiles :	5 (1970, 1972, 1974, 1976, 1978)
Nominations – 2ᵉ équipe d'étoiles :	2 (1971, 1973)
Coupes Stanley :	0
Ce qu'on dira de lui :	L'un des meilleurs défenseurs offensifs de la LNH, il a été finaliste pour le trophée Norris à six reprises.

Park a également profité des conseils d'un entraîneur légendaire qui croyait en sa créativité. « Emile Francis ne m'a jamais tenu en bride, dit-il. Il m'a donné carte blanche, et c'est ce qui m'a permis de peaufiner mon jeu et de m'améliorer. »

En 1975, Park a été échangé, avec Joe Zanussi et Jean Ratelle, contre Phil Esposito et Carol Vadnais des Bruins de Boston, une méga-transaction qui visait à permettre aux Bruins de remplacer Orr. Le joueur s'est épanoui au sein de sa nouvelle équipe. En 8 saisons, il a accumulé plus de 50 points à 5 reprises et s'est rendu aux finales de la Coupe Stanley en 1977 et en 1978.

« On a failli gagner à quelques occasions, dit celui qui a aussi participé à la fameuse Série du siècle en 1972. Ce n'est pas facile de perdre quand on est aussi près du but. Mais tu n'abandonnes pas, et tu tentes ta chance l'année suivante, et tant et aussi longtemps que ton corps te le permet. »

Park, qui savait comme nul autre monter à l'attaque depuis la ligne bleue, n'avait pas froid aux yeux. « Mes adversaires essayaient souvent de s'approcher de moi en diagonale quand je contournais le filet avec la rondelle, dit-il. Je me dirigeais alors droit sur eux. C'est comme ça que je contrôlais la situation. »

> « Ce n'est pas facile de perdre quand on est aussi près du but (la Coupe Stanley). Mais tu n'abandonnes pas, et tu tentes ta chance l'année suivante, et tant et aussi longtemps que ton corps te le permet. »
>
> **– Brad Park**

Le défenseur a pris sa retraite en 1985 à l'âge de 37 ans, après avoir joué pendant 2 saisons avec les Red Wings de Detroit. Il comptait alors sept nominations pour faire partie de l'Équipe d'étoiles (5 pour la première et 2 pour la seconde), il avait été six fois finaliste pour le trophée Norris et il avait remporté le trophée Bill Masterton pour son esprit sportif et son dévouement envers le hockey.

Une vingtaine d'années plus tard, Park respectait encore assez ce sport pour menacer de se retirer du Temple de la renommée si on n'en chassait pas Alan Eagleson, l'ancien patron disgracié de l'Association des joueurs de la Ligue nationale de hockey. « Quand j'étais jeune, j'admirais énormément les joueurs des années 40, 50 et 60, dit-il. C'étaient mes héros. Et tout le poids historique du hockey a continué de se faire ressentir dans les années 70 et jusqu'au début des années 80. Je connaissais tous les joueurs de la ligue et l'évolution du hockey. J'en suis très fier. »

Park doit toutefois reconnaître que ce sport qu'il aime tant a laissé sa marque sur son corps. Au début de 2007, il a dû se faire remplacer le genou gauche. Et avant la fin de 2008, ce sera le tour du droit. « C'est un problème auquel j'aurais dû voir quand j'étais chez les juniors, dit-il en riant. À l'époque, j'ai consulté le médecin des Marlies, le docteur Ball, qui était le beau-frère de Harold Ballard. Mais il était gynécologue. Peut-être que ça aurait dû me mettre la puce à l'oreille. »

– AP

37

Grant Fuhr

La mitaine la plus
rapide de l'Ouest

La carrière de Grant Fuhr n'a pas été sans heurts. Mais sa détermination et son amour du hockey lui ont valu non seulement de faire partie de l'élite des gardiens de but de la LNH, mais aussi d'être le premier Noir admis au Temple de la renommée.

« Pour moi, le hockey n'était pas un travail. J'adorais jouer, élaborer des stratégies et faire partie d'une équipe, dit Fuhr, qui a récolté cinq Coupes Stanley avec les Oilers d'Edmonton entre 1984 et 1990. J'ai joué aussi longtemps que j'ai pu et je me suis beaucoup amusé jusqu'à ce que je prenne ma retraite. »

Après avoir accumulé 78 victoires, 21 défaites et 1 match nul en 2 saisons avec les Cougars de Victoria de l'AMH, Fuhr a été sélectionné au huitième rang du repêchage de 1981 par Edmonton. Il a immédiatement intégré l'équipe de la LNH et dès sa première saison a inscrit 28 victoires, dont 23 consécutives, 5 défaites et 14 matchs nuls. C'est alors qu'il a connu son premier écueil : à cause d'une blessure à l'épaule, il a terminé sa deuxième saison avec seulement 13 victoires, 12 défaites et 5 matchs nuls. Il n'en a pas moins aidé les Oilers à se rendre aux éliminatoires.

> « Si un gardien de but s'est rendu jusqu'à la LNH, c'est qu'il est parfaitement capable d'arrêter la rondelle. Il faut qu'il aille au-delà de ça pour se distinguer. »
>
> – Grant Fuhr

Certes, Edmonton a cédé la victoire aux Islanders cette année-là, mais Fuhr et ses talentueux coéquipiers ont tiré quelques leçons de l'expérience. « Il faut apprendre à perdre avant d'apprendre à gagner, dit le natif de Spruce Grove, en Altanta. Ça fait partie du processus. Lorsqu'on s'est fait battre à plate couture en 1983, on a compris que, même si on avait beaucoup travaillé, il fallait s'appliquer davantage, déployer encore plus d'efforts. »

Pour sa part, Fuhr y est arrivé en inscrivant 14 passes à sa fiche de 1983-84, un record parmi les gardiens de but de la LNH. « Je mentirais en affirmant que c'était de la stratégie, dit-il. C'étaient surtout des ricochets bien placés. On avait tout un alignement offensif avec Wayne (Gretzky), Mark (Messier), Paul (Coffey), Jari (Kurri) et Glenn (Anderson). J'ai eu de la chance. » Mais ce n'est pas seulement la chance qui lui a permis d'accumuler cette année-là 30 victoires en saison régulière, 10 autres en séries éliminatoires et une première Coupe Stanley, puis 15 victoires en séries éliminatoires et une deuxième Coupe l'année suivante, et 14 victoires avec une troisième Coupe en 1986-87.

Grant Fuhr, gardien de but

Né le 28 septembre 1962

Carrière au sein de la LNH :	1981-2000
Équipes :	Edmonton, Toronto, Buffalo, Los Angeles, Saint-Louis, Calgary
Fiche (saisons régulières) :	403 victoires, 295 défaites et 114 matchs nuls ; moyenne des buts alloués de 3,37 ; 25 blanchissages en 868 matchs
Fiche (séries éliminatoires) :	92 victoires et 50 défaites ; moyenne des buts alloués de 2,92 ; 6 blanchissages en 150 matchs
Trophées :	
• Vézina	1 (1988)
• Jennings	1 (1994)
Nominations – 1re équipe d'étoiles :	1 (1988)
Nominations – 2e équipe d'étoiles :	1 (1982)
Coupes Stanley :	5
Ce qu'on dira de lui :	Ce gardien de but acrobatique a contribué à la gloire des Oilers dans les années 80.

« Ce n'est pas vrai que rien n'égale la première Coupe, dit Fuhr, contredisant du même coup la sagesse populaire. La première fois, tu as fait tellement d'efforts pour gagner que tu ne peux pas l'apprécier pleinement. La deuxième fois, tu oublies à quel point ç'a été difficile de gagner la première, et ainsi de suite. Pour moi, ç'a été de mieux en mieux. »

Fuhr a connu sa meilleure saison au sein de la LNH en 1987-88. Après avoir enregistré 6 victoires, 1 défaite et 2 matchs nuls au championnat international de la Coupe Canada 1987, il a gagné 40 matchs sur les 75 qu'il a joués avec les Oilers, raflé le trophée Vézina et talonné son coéquipier Wayne Gretzky pour le trophée Hart. Comme beaucoup de grands joueurs, il sait faire preuve d'imagination et a une vision. C'est pourquoi il se situe dans le peloton de tête.

« Je ne me limite pas aux aspects techniques de mon travail, dit Fuhr. J'essaie de préparer les matchs, de réfléchir, de penser à des stratégies. Si un gardien de but s'est rendu jusqu'à la LNH, c'est qu'il est parfaitement capable d'arrêter la rondelle. Il faut qu'il aille au-delà de ça pour se distinguer. »

Fuhr a connu son écueil le plus médiatisé en 1990 lorsqu'il a admis qu'il avait un problème de drogue. Après avoir été suspendu pendant 60 matchs par la LNH, il a été cédé à Toronto dans le cadre d'une transaction de 7 joueurs. C'était le début d'un pan de carrière totalement différent pour le gardien. En cinq ans, il a joué pour quatre équipes différentes : Toronto, Buffalo, Los Angeles et Saint-Louis.

Fuhr avait 33 ans lorsqu'il a entamé la saison 1995-96 avec les Blues. Il n'était peut-être plus la bête de somme qu'il avait été, mais cette année-là il a tout de même participé à 79 matchs, dont 76 consécutifs, établissant ainsi 2 records qui restent encore inégalés au sein de la LNH.

« C'était peut-être un exploit, dit Fuhr, qui a participé à 73 matchs la saison suivante, mais honnêtement, j'ai apprécié ce rythme. Les joueurs sont de service tous les jours, pourquoi les gardiens n'en feraient-ils pas autant ? De toute façon, il faut enfiler tout l'uniforme, aussi bien jouer. »

Fuhr a mis fin à sa carrière là où il l'avait commencée, en Alberta, mais en jouant pour l'autre club, les Flames. On était alors en 2000, et le gardien avait inscrit au total 403 victoires, 295 défaites et 114 matchs nuls. Au sein de la LNH, il était alors l'un des 6 gardiens à avoir dépassé le cap des 400 victoires.

Fuhr a été intronisé au Temple de la renommée en 2003. Il ne pouvait pas imaginer une meilleure façon de couronner sa carrière. « Je suis très fier de ce que j'ai accompli au cours de ma carrière, dit-il, mais le meilleur, c'est de voir mon nom figurer à côté de ceux de Glenn Hall, Terry Sawchuk, Jacques Plante. C'est un très grand honneur. »

– AP

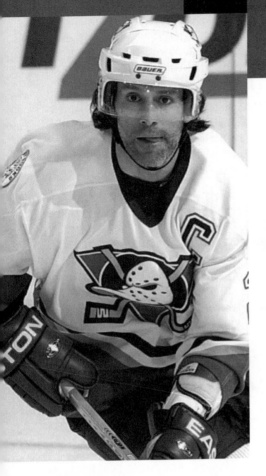

38

Scott Niedermayer

Un champion parmi les champions

Scott Niedermayer s'exprime comme il joue : sans développement superflu. Il serait aussi étonnant de l'entendre broder sur un sujet que de le voir faire une passe hâtive depuis la zone défensive.

Aucun joueur n'est aussi décoré que Niedermayer. Dans toute la LNH, il est le seul à avoir accumulé une Coupe Memorial, des Coupes Stanley, une Coupe Canada, les trophées des championnats junior et senior et une médaille d'or olympique. Lorsqu'on lui demande ce qu'il pense de tous ces honneurs, il donne une réponse laconique, bien à sa manière.

« J'espère que j'ai été utile, rétorque Niedermayer. Mais il ne faut pas oublier que chaque Équipe Canada est composée de grands hockeyeurs, que chez les Devils, je jouais avec Scott Stevens et Martin Brodeur, et que chez les juniors, j'avais un coach fantastique, Ken Hitchcock, et d'excellents coéquipiers. »

S'il est vrai que Niedermayer ne peut guère s'attribuer le championnat du monde junior de hockey sur glace de 1991 parce qu'il n'a joué que quelques minutes par match, il a sans conteste contribué à toutes les autres victoires des équipes dont il a fait partie. Mais Il ne faut pas compter sur le joueur pour nous l'apprendre. Il sait faire plusieurs choses, mais certainement pas se vanter.

Depuis qu'il a fait son entrée au sein de la LNH en 1992, à l'âge de 19 ans, Niedermayer joue avec une constance remarquable. « C'est lui qui contrôle le tempo du match », dit Brian Burke, le DG des Ducks.

Niedermayer est en effet capable d'ouvrir le feu avec la rondelle le temps d'une ou deux foulées, de faire des manœuvres à pleine vitesse (bien qu'il ait admis à la fin de 2006-07 ne plus être aussi rapide qu'avant), de piéger ses adversaires par des stratégies judicieuses et de revenir à sa position défensive en un rien de temps.

Les attaquants des équipes adverses se font souvent prendre à son jeu : ils pensent avoir une ouverture, mais dès qu'ils s'élancent, le défenseur surgit pour anéantir tous leurs espoirs. Il faut dire qu'il a appris à bonne école. Adolescent dans les années 80, Niedermayer suivait tous les matchs des Oilers d'Edmonton et était un fan de Paul Coffey, l'as de la défense du club albertain. Doué pour l'attaque, il a fait une carrière remarquable chez les mineurs, puis avec les puissants Blazers de Kamloops au sein de l'AMH.

Son penchant pour l'attaque a toutefois été réprimé à partir de 1992, grâce aux bons soins de Jacques Lemaire, l'entraîneur des Devils du New Jersey. Les deux hommes ne voyaient pas les choses de la même manière, et Lemaire, qui n'avait pas la langue dans sa poche, ne ménageait pas le jeune Niedermayer.

> « Il m'est arrivé de perdre totalement confiance et de me faire des reproches. »
>
> – Scott Niedermayer

« Il y a toujours certains obstacles dans le cours d'une carrière, dit le joueur. Ça, c'en était un. C'était très difficile pour moi. Il m'est arrivé de perdre totalement confiance et de me faire des reproches. » Voilà un discours plutôt inhabituel dans la bouche de Niedermayer. « Je savais que ce n'était pas comme ça que je voulais jouer, poursuit-il. Je savais de quoi j'étais capable et je me disais que, tôt ou tard, je jouerais comme je l'entendais. »

Mais avec les Devils, le jeune hockeyeur a tout de même compris que, pour réussir au sein de la LNH, il devait améliorer son jeu défensif. Et il a eu raison de rentrer dans les rangs, même si son jeu offensif en a quelque peu souffert. Autrement, il n'aurait pas duré dans la LNH. Somme toute, ça lui a réussi. Ses trois bagues de la Coupe Stanley et le trophée Norris qu'il a enfin raflé en 2004 sont là pour le prouver.

En 2005, certains ont considéré le transfert de Niedermayer aux Ducks d'Anaheim comme un recul. Au contraire, après s'être enfin libéré du carcan défensif des Devils, le joueur s'est vraiment épanoui comme attaquant. En 2005-06 et en 2006-07, il a respectivement enregistré 63 et 69 points, ses meilleures statistiques en carrière.

Surtout, ce joueur individualiste accompli s'est transformé en un parfait joueur d'équipe. « Je ne voyais probablement pas les choses ainsi, dit Niedermayer, mais je ne peux pas me plaindre. »

– KC

Scott Niedermayer, défenseur
Né le 31 août 1973

Carrière au sein de la LNH :	1991…
Équipes :	New Jersey, Anaheim
Fiche (saisons régulières) :	140 buts, 468 passes, 608 points en 1 053 matchs
Fiche (séries éliminatoires) :	22 buts, 64 passes, 86 points en 183 matchs
Trophées :	
• Norris	1 (2004)
• Conn Smythe	1 (2007)
Nominations – 1re équipe d'étoiles :	3 (2004, 2006, 2007)
Nominations – 2e équipe d'étoiles :	1 (1998)
Coupes Stanley :	4
Ce qu'on dira de lui :	Grâce à son merveilleux coup de patin et à ses passes efficaces, il contrôlait le jeu.

39

Brian Leetch

Au cœur de la défense américaine

I l était une fois un Américain du nom de Jack Leetch qui jouait au hockey au Boston College. Après avoir représenté son pays aux Jeux olympiques de 1964, il accepta le poste de directeur de la Cheshire Skating Academy, au Connecticut. Jack travaillait très fort. Il commençait tôt le matin, finissait tard le soir. Et quand son fils Brian s'intéressa à son tour au hockey, il l'encouragea et suivit son évolution de près, car il savait qu'il deviendrait un grand joueur.

C'est une jolie histoire, mais les choses ne se sont pas tout à fait passées ainsi. Oui, Jack Leetch a dirigé l'aréna de Cheshire, au Connecticut, et, oui, il était entraîneur adjoint dans l'équipe de son fils, mais on aurait tort de croire qu'il a encadré son rejeton de façon très stricte. Si Brian Leetch a réussi à développer ses aptitudes, c'est en grande partie parce qu'il jouait souvent – pénurie de joueurs oblige – et parce que, n'ayant pas affaire à des entraîneurs obsédés par la LNH, il a pu laissé libre cours à sa créativité.

En réalité, le travail du père de Brian à l'aréna n'était pas une sinécure. « Il se tuait à la tâche, dit Leetch. Il faisait tout : il s'occupait de la paperasse, il passait la zamboni, il établissait le calendrier. C'était pénible pour nous aussi, à la maison. Après sept ans, il a abandonné parce qu'il n'en pouvait plus. Il s'est réorienté dans la vente. »

À la fin de la saison 1987-88, après une brillante année au sein de l'équipe du Boston College et une participation aux Jeux olympiques, Brian Leetch a joint les Rangers de New York, qui l'avaient sélectionné au neuvième rang du repêchage de 1986. Il ne pouvait pas mieux tomber. Le flamboyant et passionné Michel Bergeron, l'entraîneur des Rangers à l'époque, avait un style intuitif qui lui convenait parfaitement.

Brian Leetch, défenseur

Né le 3 mars 1968

Carrière au sein de la LNH :	1988-2006
Équipes :	Rangers de NY, Toronto, Boston
Fiche (saisons régulières) :	247 buts, 781 passes, 1 028 points en 1 205 matchs
Fiche (séries éliminatoires) :	28 buts, 69 passes, 97 points en 95 matchs
Trophées :	
• Calder	1 (1989)
• Norris	2 (1992, 1997)
• Conn Smythe	1 (1994)
Nominations – 1re équipe d'étoiles :	2 (1992, 1997)
Nominations – 2e équipe d'étoiles :	0
Coupes Stanley :	1
Ce qu'on dira de lui :	Le plus grand défenseur d'origine américaine très à l'aise à l'attaque.

« Bergeron me regardait droit dans les yeux et il me disait : "Brian, on a besoin de toi. Maintenant !" se rappelle Leetch. Il n'était pas du genre à faire des schémas de jeu, à nous donner des instructions détaillées ou à nous empêcher d'avoir de l'initiative. La consigne, c'était plutôt : "Vas-y et fais quelque chose !" C'était fantastique pour un jeune comme moi parce que je n'avais pas peur de me tromper. »

Reconnu pour son excellent coup de patin, Leetch est devenu l'un des défenseurs les plus efficaces de sa génération. En 1994, lorsque les Rangers ont gagné leur première Coupe Stanley en 54 ans, il est également devenu le premier Américain à remporter un trophée Conn Smythe.

« En fait, j'étais mal à l'aise de gagner ce trophée, dit Leetch. C'était la confusion totale sur la glace quand j'ai entendu mon nom. J'ai demandé à Mess (le capitaine des Rangers, Mark Messier) si je pouvais amener toute l'équipe avec moi, et il m'a répondu : "Pas question ! C'est ta récompense. Tu la mérites. Maintenant, va la chercher." »

Messier était arrivé à New York en 1991, chargé d'une délicate mission : aider les Rangers à remporter un championnat de la Coupe Stanley. Il a été immédiatement accepté par le noyau dur de l'équipe, y compris Leetch. Malgré des personnalités aux antipodes, les deux joueurs avaient en effet beaucoup d'affinités sur la patinoire, car ils partageaient une farouche volonté de gagner.

> **« En fait, j'étais mal à l'aise de gagner ce trophée (le Conn Smythe). »**
>
> **– Brian Leetch**

Leetch et Messier étaient également camarades de chambre quand l'équipe jouait à l'extérieur. « Je pensais qu'il voudrait aller au restaurant tous les soirs, alors que moi, je préférais manger à l'hôtel, se rappelle Leetch. Le premier soir, il me l'a offert, mais par la suite, on a presque toujours mangé dans la chambre. On parlait de hockey, on regardait des matchs à la télé. J'aimais bien aller prendre une bière avec les gars après les matchs, mais lui, il adorait ça. Alors, c'est ce qu'on faisait. Et Mark a tellement de charisme qu'on finissait par se retrouver avec toute une bande de gars. »

Mais pendant les 16 années que Leetch a passées à New York, les Rangers ont traversé des passes difficiles et ne se sont pas souvent rendus aux éliminatoires. À la date d'échéance des transactions de 2004, le défenseur a été cédé aux Maple Leafs de Toronto. Bien qu'amer au début, il a fini par apprécier l'équipe canadienne avec laquelle il n'a cependant joué que 15 matchs et 2 rondes d'éliminatoires avant le lockout de 2005. Leetch a terminé sa carrière avec les Bruins de Boston en 2005-06 et a pris sa retraite en 2007, après avoir décliné de nombreuses offres pour revenir au jeu durant la saison 2006-07.

« C'était très flatteur, mais il était temps que j'arrête, dit Leetch. J'aurais aimé continuer à jouer, mais il aurait fallu que j'aie le même coup de patin qu'avant. Habituellement, c'est par là qu'on commence à décliner, et je voyais ça venir. Je ne voulais pas me tourner en ridicule. »

– KC

40

Joe Nieuwendyk

Grand compteur, grand capitaine

Peu de joueurs ont remporté trois Coupes Stanley et un trophée Conn Smythe, mais un seul peut se vanter de détenir également le titre du joueur le plus utile à la crosse et la Coupe Minto, soit le grand prix du championnat national de crosse.

Joe Nieuwendyk a beaucoup trop de classe pour chanter ses propres louanges. En fait, il met les exploits qu'il a accomplis en 20 ans de carrière au hockey sur le compte de sa pratique de la crosse. « Quand j'ai commencé à jouer au hockey, se rappelle-t-il, ça me réussissait de me tenir devant le filet. Je n'avais qu'à faire glisser la rondelle dans le but. C'est vrai que la pratique de la crosse a favorisé ma coordination œil-main. Mais elle m'avait aussi habitué à jouer sous pression et à compter même avec un tas de joueurs sur le dos. »

Originaire d'Oshawa, en Ontario, Nieuwendyk a grandi en vouant un culte aux Maple Leafs de Toronto. Il jouait pour l'équipe de l'Université Cornell lorsqu'il a été sélectionné au 27e rang du repêchage de 1985 par les Flames de Calgary. Mais c'est seulement en 1987-88 qu'il a fait sa première saison complète au sein de la LNH. Ses 51 buts lui ont alors valu le statut de vedette et le trophée Calder. Il trouvait cependant le calendrier de la LNH très chargé.

> « Je n'avais que 22 ans à l'époque, et je pense que je n'ai pas pleinement apprécié cette victoire. »
>
> – Joe Nieuwendyk, à propos de sa première Coupe Stanley

« La dernière année à Cornell, on n'avait pas atteint les éliminatoires, et je pense qu'on avait joué quelque chose comme 23 matchs, dit Nieuwendyk. Un an plus tard, avec les Flames, j'ai participé à plus de 100 matchs, si on compte les démonstrations. Ça n'avait rien à voir. »

En 1988-89, Nieuwendyk a connu une aussi bonne saison et s'est dépassé pendant les éliminatoires en enregistrant 14 points, dont 10 buts, en 22 matchs. Il a aussi aidé les Flames à gagner leur première Coupe Stanley.

« Je n'avais que 22 ans à l'époque, dit Nieuwendyk, et je pense que je n'ai pas pleinement apprécié cette victoire. Mais j'ai pu voir ce que ça signifiait pour quelqu'un comme Lanny McDonald, qui en était à sa 16e et dernière année de carrière dans la ligue et qui n'avait jamais gagné de championnat. Il a fallu que je joue encore 10 ans avant de remporter une autre Coupe. »

Joe Nieuwendyk, centre

Né le 10 septembre 1966

Carrière au sein de la LNH :	1987-2007
Équipes :	Calgary, Dallas, New Jersey, Toronto, Floride
Fiche (saisons régulières) :	564 buts, 562 passes, 1 126 points en 1 257 matchs
Fiche (séries éliminatoires) :	66 buts, 50 passes, 116 points en 158 matchs
Trophées :	
• Calder	1 (1988)
• Conn Smythe	1 (1999)
Nominations – 1re équipe d'étoiles :	0
Nominations – 2e équipe d'étoiles :	0
Coupes Stanley :	3
Ce qu'on dira de lui :	L'un des deux seuls joueurs de la LNH à avoir gagné la Coupe Stanley avec trois équipes différentes.

Entre ces deux grands moments, Nieuwendyk a eu sa part de succès… et de blessures. Lors du Championnat du monde de 1990, qui se déroulait à Berne, en Suisse, il s'est déchiré le ligament croisé antérieur (LCA) du genou, une blessure qui a marqué le début d'une série d'ennuis physiques qui l'ont suivi jusqu'à la fin de sa carrière.

« Mon genou n'a plus jamais été le même par la suite, dit Nieuwendyk. Mais plein de joueurs traînent des blessures. On s'y fait. C'est inconfortable de temps en temps, mais on continue quand même. J'ai joué pendant huit ou neuf ans avant qu'on me remplace ce ligament. »

Commerce oblige, Nieuwendyk a été cédé à Dallas en 1995. Et pendant les éliminatoires de 1998, il s'est déchiré le LCA de l'autre genou. « Ça été très difficile à prendre, dit-il. J'avais hâte aux éliminatoires, j'étais confiant. Cette blessure dès le premier match a été dure à avaler. Mais c'est étrange de voir comment les choses ont tourné. La saison suivante, je suis revenu au jeu, plus fort que jamais, avec deux prothèses toutes neuves. C'est le destin qui l'a voulu, j'imagine. »

En effet, en 1999, après avoir compté 11 buts, dont six décisifs, et 10 passes en 23 matchs pour Dallas, Nieuwendyk a remporté sa deuxième Coupe Stanley et le titre de joueur le plus utile des séries.

« C'était incroyable comme sentiment, dit Nieuwendyk. C'était une expérience totalement différente de ce que j'avais vécu à Calgary. À Dallas, on avait bâti une équipe solide avec des joueurs comme (Guy) Carbonneau, (Pat) Verbeek, (Mike) Keane, Eddie Belfour. Et on était pas mal fiers de voir que dans une ville de football les gens commençaient à s'intéresser au hockey. »

Le début du nouveau millénaire a été fertile en événements pour Nieuwendyk. Il a été cédé aux Devils du New Jersey et il a remporté une médaille d'or aux Jeux olympiques en 2002. Il a raflé sa troisième et dernière Coupe Stanley en 2003, et s'est retrouvé à Toronto pour la saison 2003-04. « L'année que j'ai passée avec les Maple Leafs, dit-il à ce propos, est un des faits saillants de ma carrière. » Il a pris sa retraite à la fin de 2006, après deux saisons presque complètes avec les Panthers de la Floride.

« J'étais toujours aussi passionné par le hockey, dit Nieuwendyk, mais c'était devenu difficile de maintenir un tel rythme au quotidien. Et je ne voulais pas être un joueur à temps partiel. Le fait que j'aie trois enfants en bas âge m'a aussi aidé à prendre ma décision. »

Nieuwendyk valorise l'esprit d'équipe. Bien plus que n'importe quel honneur personnel ou trophée, ce sont ses coéquipiers qui l'ont aidé à surmonter les obstacles auxquels il a pu se buter au cours de sa carrière. « La Coupe, c'est fantastique, mais il ne faut pas oublier que c'est grâce à une équipe qu'on la gagne, grâce à des gars qui font des sacrifices, qui se blessent et qui n'ont pas peur de se mouiller, dit-il. Il n'y a pas de sentiment plus gratifiant que d'être avec eux pendant la finale, et j'ai été chanceux de le connaître à trois reprises. »

– **AP**

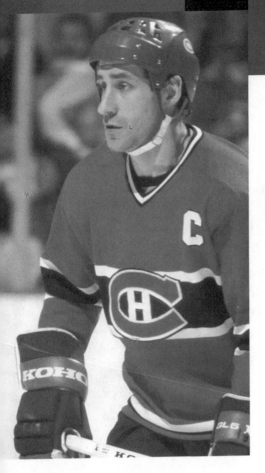

41

Bob Gainey

La quintessence de l'avant défensif

Bob Gainey s'est vraiment dépassé durant les éliminatoires de 1979. Il a compté en moyenne un point par match, et a obtenu le trophée Conn Smythe en plus d'une Coupe Stanley, sa quatrième consécutive avec les Canadiens de Montréal. Il était alors en pleine possession de ses moyens et au sommet d'un talent qui lui a ouvert les portes du Temple de la renommée.

La rumeur a longtemps voulu que, cette année-là, Anatoly Tarasov, le père du hockey soviétique, ait déclaré que Gainey était le meilleur joueur du monde. Mais, apparemment, il aurait plutôt dit qu'il était le joueur le plus *accompli* du monde. « Ç'a été interprété de différentes façons, dit Gainey, mais c'est sûr que j'en ai tiré le maximum. »

Gainey avait un excellent coup de patin, il était très solide, il semblait comprendre le hockey mieux que ses pairs et il était un compteur tout à fait respectable, bien que sous-estimé. Pourtant, en 1 160 matchs, il a accumulé 501 points, et il a terminé quatre de ses 16 saisons dans la LNH avec une fiche de 20 buts. Chose certaine, personne n'était plus lucide que lui quant au rôle de défenseur.

« Il y a beaucoup de sale boulot à abattre pour gagner un match de hockey, a dit Gainey durant les éliminatoires de 1979. Je suis un de ceux qui s'en chargent. Si je fais bien mon travail d'avant défensif, personne ne va s'en apercevoir, mais l'équipe adverse ne réussira pas à compter. »

Quelqu'un a pourtant dû le remarquer puisqu'il a reçu quatre trophées Selke au cours de sa carrière. Mais on comprend le sous-entendu : quand Gainey était là pour arrêter les attaques des joueurs vedettes de l'équipe adverse, les joueurs avant des Canadiens – la vitesse et le savoir-faire incarnés – pouvaient réaliser des exploits qui en jetaient plein la vue.

À plusieurs reprises au cours de sa carrière, Gainey a dit qu'il était content de ne pas avoir à affronter des joueurs comme Guy Lafleur. Mais il a tout de même bravé les Bobby Clarke, Reggie Leach, Darryl Sittler, Lanny McDonald, Mike Bossy et Bryan Trottier avec autant d'adresse qu'eux en avaient dans leurs attaques.

Contrairement à de nombreux as de la mise en échec qui faisaient preuve d'obstination et usaient de subterfuges, Gainey réussissait à maintenir les attaquants loin des zones dangereuses grâce à son coup de patin, à son habileté à bien se positionner et à sa grande force physique.

> « Il y a beaucoup de sale boulot à abattre pour gagner un match de hockey. Je suis un de ceux qui s'en chargent. »
>
> – Bob Gainey

Dans les ligues mineures, Gainey patrouillait déjà la ligne bleue. Les notions de défense étaient donc déjà bien ancrées en lui lorsqu'il a joint les Petes de Peterborough, une équipe junior de l'Association du hockey de l'Ontario dont l'entraîneur était Roger Neilson. C'est d'ailleurs à cette époque qu'il a scellé son destin de défenseur.

« À Peterborough, on avait une réputation d'équipe gagnante, dit Gainey. Mais une fois qu'un joueur occupait une position, il n'avait plus vraiment la chance d'explorer d'autres aspects du jeu. C'est en partie ce qui explique pourquoi j'étais très fort à la défense, mais pourquoi aussi j'avais de grosses lacunes ailleurs. Par exemple, quand je suis arrivé à Montréal, mon tir au but était plutôt médiocre. »

Certains joueurs doivent renoncer à des carrières d'attaquants et se métamorphoser pour devenir défenseurs. Guy Carbonneau, par exemple, avait compté 72 buts chez les juniors, et accumulé 88 et 94 points au sein de la LAH avant d'entrer dans la LNH ; Steve Yzerman comptait facilement 50 buts par saison ; Sergei Fedorov a connu des saisons de plus de 120 et 107 points, et a remporté 2 trophées Selke. Mais ce n'était pas le cas de Gainey. Il était né pour être défenseur. Et il n'a jamais eu à sacrifier son jeu offensif, car il n'y excellait tout simplement pas.

« Il n'y avait pas de grand compteur frustré en moi, dit Gainey. Je n'ai rien abandonné pour jouer comme je l'ai fait. »

– KC

Bob Gainey, ailier gauche
Né le 13 décembre 1953

Carrière au sein de la LNH :	1973-89
Équipes :	Montréal
Fiche (saisons régulières) :	239 buts, 262 passes, 501 points en 1 160 matchs
Fiche (séries éliminatoires) :	25 buts, 48 passes, 73 points en 182 matchs
Trophées :	
• Selke	4 (1978, 1979, 1980, 1981)
• Conn Smythe	1 (1979)
Nominations – 1re équipe d'étoiles :	0
Nominations – 2e équipe d'étoiles :	0
Coupes Stanley :	5
Ce qu'on dira de lui :	L'avant défensif le plus compétent et le plus élégant de la LNH.

42

Cam Neely

Compteur unijambiste

Cam Neely avait neuf ans en 1974 lorsqu'il s'est vu décerner un prix soulignant son dévouement envers le hockey. Le trophée Masterton qu'il a reçu une vingtaine d'années plus tard prouve à quel point les représentants de la ligue mineure en question avaient vu juste. « C'est sûr que le Masterton n'est pas la Coupe Stanley, dit le natif de Comox, en Colombie-Britannique, mais j'en suis fier, car ça démontre tout le bien que je pense du hockey. »

Puissant et talentueux, Neely pouvait jeter ses adversaires à la renverse tant au propre qu'au figuré. En 13 saisons et malgré d'importantes blessures, il s'est bâti une fiche qui a fait l'envie de plusieurs de ses confrères pourtant restés intacts.

Dès sa première année avec les Hawks de Portland Winter, une équipe de l'AMH, Neely s'est distingué en raflant la Coupe Memorial et en enregistrant 120 points, dont 56 buts, et 130 minutes de pénalité en 74 matchs. C'était en 1982 et il n'avait que 17 ans. « Déjà chez les juniors, j'étais convaincu que c'était efficace de jouer physique, dit Neely. Pour moi, le hockey est d'abord un sport physique. La stratégie d'attaque en découle. »

Sélectionné au neuvième rang du repêchage de 1983 par Vancouver, Neely est entré dans la LNH à 19 ans. Si ses trois premières saisons avec les Canucks n'ont pas été spectaculaires, elles ont tout de même été assez productives. Mais l'ambitieux jeune homme n'avait pas l'intention de rester un joueur moyen.

Apparemment, la direction des Canucks ne voulait pas non plus se contenter d'un tel joueur puisque au cours de l'été 1986 elle l'a échangé, avec un premier choix de repêchage, contre Barry Pederson des Bruins. Neely ne le savait pas encore, mais il deviendrait l'un des plus grands joueurs du club de Boston.

« J'étais partagé face à cet échange, dit Neely. Lors de ma troisième saison avec les Canucks, je n'avais pas beaucoup joué et j'avais hâte de revenir au jeu pour montrer de quel bois je me chauffais. Mais d'un autre côté, j'ai cru comprendre que les Bruins me voulaient. J'ai pensé que c'était une bonne occasion de me démarquer. En tous cas, c'était plus tentant que d'essayer de convaincre les gens de Vancouver. »

Neely a connu un succès instantané à Boston. Dès sa première année, il a battu son propre record à la LNH en inscrivant 72 points, dont 36 buts, et 143 minutes de pénalité. Ce dangereux tireur qui savait aussi rendre coup pour coup a fait encore mieux la saison suivante en comptant 42 buts et en permettant aux Bruins de se rendre en finale pour la première fois en 10 ans.

> « Pour moi, le hockey est d'abord un sport physique. La stratégie d'attaque en découle. »
>
> – Cam Neely

Mais avec Wayne Gretzky à l'avant-plan, les puissants Oilers d'Edmonton ont raflé la Coupe cette année-là. Neely n'a pas caché sa déception. « C'est plus facile de perdre au premier tour qu'en finale, dit-il. Quand tu te rends aussi loin avec tes coéquipiers, c'est très, très frustrant de ne pas gagner. »

Neely a connu sa meilleure saison en 1989-90, avec 92 points, dont 55 buts, et une deuxième apparition aux finales de la Coupe en 3 ans. Cette fois, les Bruins se sont inclinés devant les Oilers après cinq matchs.

La saison suivante, tout allait toujours aussi bien pour Neely qui avait encore passé le cap des 50 buts. Mais pendant les éliminatoires, il a été victime d'un coup vicieux d'Ulf Samuelsson qui lui a littéralement détruit le muscle de la cuisse. Ce sont d'ailleurs les séquelles de cette blessure qui ont fini par avoir raison de sa carrière quelques années plus tard.

« Ç'a été une période très difficile pour moi, raconte Neely. J'ai dû attendre de guérir. Par la suite, j'ai essayé de jouer comme avant. Mais je ne pouvais pas m'exercer beaucoup et je participais à un match sur deux. Mon genou ne coopérait pas vraiment, et j'avais très mal. Mais ce qui se passait sur la patinoire était magique. Ça valait la peine de souffrir autant. »

En jouant pratiquement sur une seule jambe, Neely a réussi à compter 50 buts en 49 matchs, en 1993-94.

« Je ne sais pas ce qui s'est passé, dit Neely. Chaque fois que j'essayais de compter, ça marchait. Je me souviens d'un match où j'ai compté aussitôt que j'ai mis le pied sur la patinoire. Pourtant, je n'avais pas joué ni pratiqué depuis quelques jours. Je n'en revenais pas moi-même. »

Lorsqu'il a pris sa retraite à l'âge de 31 ans, Neely avait accumulé 694 points, dont 395 buts, en 726 matchs. En 2004, les Bruins ont retiré son numéro, le 8, et en 2005, il a été admis au Temple de la renommée. «Évidemment, je suis fier de tous ces honneurs, dit-il. Mais ce que je trouve encore plus valorisant, c'est d'entendre des jeunes dire qu'ils voudraient jouer comme moi ou des DG et des entraîneurs dire qu'ils recherchent un joueur du style de Cam Neely. »

– AP

Cam Neely, ailier gauche
Né le 6 juin 1965

Carrière au sein de la LNH :	1983-96
Équipes :	Vancouver, Boston
Fiche (saisons régulières) :	395 buts, 299 passes, 694 points en 726 matchs
Fiche (séries éliminatoires) :	57 buts, 32 passes, 89 points en 93 matchs
Trophées :	
• Masterton	1 (1994)
Nominations – 1re équipe d'étoiles :	0
Nominations – 2e équipe d'étoiles :	4 (1988, 1990, 1991, 1994)
Coupes Stanley :	0
Ce qu'on dira de lui :	Ce puissant joueur avant a permis aux Bruins de se rendre en finale de la Coupe Stanley à deux reprises.

43

Frank Mahovlich

Héros hésitant

À l'époque de l'expansion de la
LNH, Francis William Mahovlich
traversait une passe très, très
difficile à Toronto. Mais il en est sorti dès
qu'il a pu quitter les Maple Leafs et leur
tyrannique entraîneur et DG, Punch
Imlach.

Mahovlich est sans conteste l'un des
joueurs les plus doués de sa génération.
Cette pièce d'homme (93 kg et 1 m 93)
savait compter et manier la rondelle
comme nul autre. Seule véritable grande
vedette des Maple Leafs, il a joué brillamment pendant un peu plus de dix ans
à Toronto. Pourtant, les fans et Imlach
n'avaient jamais l'air satisfaits de lui.

« Le hockey est un tramway nommé
désir, a dit un jour Imlach. Et parfois
Frank le rate. »

Mahovlich a connu de graves ennuis pendant la saison 1967-68. Un beau jour de
novembre, le train qui amenait les Leafs vers Detroit s'apprêtait à partir lorsque le
joueur en est descendu sans dire un mot. Peu de temps après, il a été hospitalisé pour
cause de dépression. C'était la seconde fois que ça lui arrivait.

Mais Mahovlich allait bientôt connaître des jours meilleurs. Le tout a commencé quand,
en mars 1968, il a été cédé aux Red Wings de Detroit, une équipe moribonde. À
quelqu'un qui lui demandait s'il allait y être heureux, Mahovlich a répondu : « Ça reste
à voir. Peut-être qu'après tout, je ne suis pas fait pour être heureux. »

Toutefois, en un peu plus de deux saisons à Detroit, Mahovlich a été non seulement
heureux mais génial sur la patinoire, et ce, même si l'équipe ne valait pas cher. En 1968-
69, il a compté 49 buts et a aidé Gordie Howe à passer le cap des 100 points. Pour la
première fois en dix ans, le hockey était une source de joie pour le joueur.

« Cet échange est la meilleure chose qui me soit arrivée, dit Mahovlich, qui est maintenant sénateur. J'ai peut-être bien joué avec les Red Wings, mais il faut dire qu'on avait aussi un défenseur de grand calibre en la personne de Bergman. Par ailleurs, c'était la valse des joueurs et il n'y avait pas vraiment de direction. »

En fait, Mahovlich était tellement bien à Detroit qu'il a hésité à poursuivre sa carrière quand un échange l'a amené à Montréal, en 1971. Mais Sam Pollock, le DG des Canadiens, a insisté pour qu'ils en discutent au moins.

« Quand je suis sorti de l'avion, se rappelle Mahovlich, Al MacNeil (entraîneur) et Ron Caron (DG adjoint) m'attendaient. Jamais personne n'était venu m'accueillir comme ça, et je me suis dit que ça s'annonçait bien. Aussitôt que je me suis mis à jouer, je me suis bien entendu avec les gars. J'ai compté un but dès mon premier match et je sentais que j'avais le vent dans les voiles. C'était un sentiment incroyable. Personne ne pouvait m'arrêter. »

> « Aussitôt que je me suis mis à jouer (à Montréal), je me suis bien entendu avec les gars. J'ai compté un but dès mon premier match et je sentais que j'avais le vent dans les voiles. »
>
> **– Frank Mahovlich**

Bien qu'à l'aise dans les coulisses, Mahovlich s'est retrouvé à nouveau sous les feux de la rampe à Montréal. Il a fait équipe avec Yvan Cournoyer et Guy Lafleur, et a retrouvé son frère cadet Peter, un joueur très polyvalent que les Wings avaient largué en 1969 et qui s'est épanoui avec les Canadiens en comptant 35 buts par saison.

« Les gens ne se rendaient pas compte à quel point Peter était compétent, dit Mahovlich. Un jour, un journaliste a demandé à Sam Pollock en quoi on était différents, et Pollock a répondu : "Frank fonce sur les adversaires, tandis que Pete les contourne." »

En 1970-71, Mahovlich a dominé les éliminatoires et a sans conteste aidé les Canadiens à gagner la Coupe Stanley, car il a accumulé 27 points, dont 14 buts. Cette saison-là, l'équipe de Montréal s'était classée au troisième rang de la Division Est et avait battu celles de Boston en quart de finale, puis de Minnesota en demi-finale, avant d'affronter les favoris de la série, les Blackhawks de Chicago.

Les choses auguraient bien pour les Blackhawks qui menaient la série 3 à 2 et avaient commencé la troisième période du sixième match avec une avance d'un point. Mais en fin de compte, Frank et Pete ont compté les deux buts qui ont assuré la victoire aux Canadiens et leur ont permis d'aller remporter le septième match – et le championnat – à Chicago. « Jim Pappin (des Blackhawks) fait encore des cauchemars à propos de ce match », dit Mahovlich.

L'année suivante, Mahovlich a compté 43 buts, devenant ainsi le premier joueur à compter plus de 40 buts avec 3 équipes différentes. Durant les éliminatoires de 1973, il a compté 23 points avant de rafler sa sixième Coupe Stanley. Après une saison de 80 points en 1973-74 avec les Canadiens, il est retourné à Toronto, mais cette fois, avec les Toros de l'Association mondiale de hockey. Il a compté trois buts lors de son premier match et a joué encore quatre années avant de prendre sa retraite. Il a failli revenir avec les Red Wings en 1979, mais la chose ne s'est jamais concrétisée.

Mahovlich aurait sans aucun doute remporté d'autres championnats avec les Canadiens, mais il n'a jamais regretté d'avoir quitté la LNH. « C'est en entrant dans l'AMH que j'ai commencé à toucher un salaire décent, dit-il. Avant ça, c'était la misère. »

– KC

Frank Mahovlich, ailier gauche*
Né le 5 octobre 1965

Carrière au sein de la LNH :	1957-74
Équipes :	Toronto, Detroit, Montréal
Fiche (saisons régulières) :	246 buts, 196 passes, 442 points en 511 matchs
Fiche (séries éliminatoires) :	27 buts, 31 passes, 58 points en 53 matchs
Nominations – 1ʳᵉ équipe d'étoiles :	1 (1973)
Nominations – 2ᵉ équipe d'étoiles :	2 (1969, 1970)
Coupes Stanley :	2
Ce qu'on dira de lui :	Aussi immense que son talent, ce joueur a atteint son sommet en jouant pour le Tricolore.

*Ces statistiques ne tiennent pas compte de la période précédant l'expansion.

Pavel Bure

Le Rocket russe

Pavel Bure a toujours été un grand admirateur de la superstar du tennis, Boris Becker. Ce n'est peut-être pas une coïncidence. Outre un immense talent, ces deux grands sportifs ont en commun d'avoir dû mettre un terme à leur carrière beaucoup trop tôt.

Dans les années 90, aucun joueur de hockey n'était plus charismatique ou flamboyant que Bure. Pas étonnant qu'on l'ait surnommé le « Rocket russe ». Tel Maurice Richard, il savait galvaniser les foules grâce à son style, à sa vitesse et à ses exploits.

« J'essayais toujours de faire quelque chose pour épater les fans, dit Bure. Déjà enfant, je préférais les sportifs qui sortaient de l'ordinaire. Tout le monde se souvient de Boris Becker lors de sa première prestation à Wimbledon et de la façon qu'il avait de plonger pour attraper la balle. » Et tous ceux qui ont vu jouer Bure ne peuvent pas oublier qu'il était un véritable virtuose du hockey. « Même moi, je me demande comment il réussit à faire telle ou telle prouesse », a déclaré un jour Valeri, le frère de Bure et son collègue de la LNH.

Seule véritable vedette des Canucks, Bure a souvent été comparé à Gilbert Perreault, le joueur que l'équipe de Vancouver aurait sans doute recruté si elle ne s'était pas fait damer le pion par les Sabres de Buffalo en 1970. Cette année-là, les deux équipes avaient la priorité du repêchage des joueurs disponibles parce qu'elles venaient d'intégrer la LNH, mais les Sabres avaient gagné le premier choix.

Bure était capable de filer à un train d'enfer vers le but, passant sous le nez des défenseurs sans qu'ils puissent faire quoi que ce soit. Il compensait un gabarit relativement petit (1 m 78 et 87 kg), un centre de gravité peu élevé et une grande robustesse qui le rendaient pratiquement invincible lorsqu'il était en possession de la rondelle. Il exploitait la moindre ouverture et la moindre seconde pour compter. Sa rapidité était légendaire. Il renversait tout sur son passage.

Mais la carrière de Bure a été interrompue au bout d'une douzaine d'années à cause de blessures aux genoux. Il a pris sa retraite en 2003 après un bref passage chez les Rangers de New York.

> « **J'essayais toujours de faire quelque chose pour épater les fans.** »
>
> – **Pavel Bure**

Si les amateurs ne peuvent pas s'empêcher de se demander ce que le Rocket russe aurait accompli s'il avait pu jouer plus longtemps, lui ne se perd pas dans de telles conjectures. « Je ne vois pas les choses ainsi, dit-il. Je crois que j'ai déjà beaucoup accompli, entre autres, 5 saisons de 50 buts. Bien entendu, j'aurais pu aussi gagner une Coupe Stanley. Mais ce n'est pas arrivé. »

Ce n'est pourtant pas faute d'efforts. Pendant la saison 1993-94, Bure a compté 60 buts pour ensuite accumuler 31 points, dont 16 buts, durant les éliminatoires. C'est en grande partie grâce à lui si les Canucks ont pu se rendre en septième de finale de la Coupe Stanley contre les Rangers de New York cette année-là.

S'il n'a jamais pu faire graver son nom sur la Coupe Stanley, Bure a tout de même eu sa part de récompenses. Déjà, dans les années 80, il s'était distingué au sein de la ligue de hockey junior de l'Union soviétique. Rien ne pouvait arrêter le trio qu'il formait avec Sergei Fedorov et Alexander Mogilny au championnat de 1989. À eux trois, ils ont inscrit 38 points, dont 19 buts, en 7 matchs et ont remporté la médaille d'or.

Dès sa première année à la LNH, Bure a offert une performance remarquable. Ses 60 points, dont 34 buts, en 65 matchs lui ont permis de rafler le trophée Calder. Et à titre de joueur ayant compté le plus grand nombre de buts en saison régulière, il a remporté le trophée Maurice Richard à deux reprises. Si Bure n'a pas été sélectionné plus souvent pour faire partie de l'Équipe d'étoiles, c'est qu'il était de la génération de grandes vedettes comme les ailiers Brett Hull, Teemu Selanne et Jaromir Jagr.

Entourée de mystère, la vie personnelle du Russe a toujours piqué la curiosité du public. Idole du milieu gay de Vancouver, il s'est marié avec une énigmatique Américaine dans les années 90 pour s'en séparer au bout de neuf mois. Des rumeurs ont également circulé à propos d'une liaison avec Madonna et la joueuse de tennis Anna Kournikova, après le divorce de celle-ci d'avec Fedorov.

Bure aurait pu être admis au Temple de la renommée en 2006, mais on lui a préféré Patrick Roy et Dick Duff. Dans les années à venir, on risque de se bousculer au portillon de la fameuse institution, mais le joueur ne mérite pas moins d'y avoir sa place. « Ce serait un immense honneur, mais je n'y pense pas, dit Bure. Ce n'est pas à moi que revient cette décision. Pour ma part, je sais ce que j'ai accompli au cours de ma carrière. »

– KC

Pavel Bure, ailier droit
Né le 31 mars 1971

Carrière au sein de la LNH :	1991-2003
Équipes :	Vancouver, Florida, Rangers de NY
Fiche (saisons régulières) :	437 buts, 342 passes, 779 points en 702 matchs
Fiche (séries éliminatoires) :	35 buts, 35 passes, 70 points en 64 matchs
Trophées :	
• Calder	1 (1992)
• Maurice Richard	2 (2001, 2002)
Nominations – 1re équipe d'étoiles :	1 (1994)
Nominations – 2e équipe d'étoiles :	2 (2000, 2001)
Coupes Stanley :	0
Ce qu'on dira de lui :	Ce patineur fougueux savait manier le bâton et compter comme nul autre.

45

Tony Esposito

L'inventeur du style papillon

En 1969-70, soit lors de sa première saison complète au sein de la LNH, Tony Esposito a raflé coup sur coup le trophée Calder et le trophée Vézina. À part gagner aussi la Coupe Stanley, qu'aurait pu souhaiter de mieux la jeune recrue ?

« Pour être franc avec vous, pas grand-chose, dit Esposito, membre du Temple de la renommée, légende des Black-hawks de Chicago, triple récipiendaire du Vézina et inventeur du style papillon. J'ai travaillé fort, et bien que je n'aie jamais gagné le championnat de la LNH, j'ai plutôt bien réussi. »

Frère cadet de l'inoubliable Phil Esposito, « Tony O » est entré dans la LNH relativement tard, soit à 26 ans, et y est resté jusqu'à l'âge vénérable de 41 ans. Titulaire d'un diplôme de l'Université Michigan Tech, il avait joué pour les Apollos de Houston de la Central Hockey League. Après un bref passage chez les Canadiens de Montréal, il a été recruté par les Blackhawks de Chicago lors du repêchage inter-équipes de 1969.

Ces années ont été très formatrices pour Esposito, car c'est à cette époque qu'il a mis au point son fameux style papillon, que certains ont vertement critiqué. « Les journalistes, surtout ceux de Toronto, disaient que c'était un style impossible, se rappelle Esposito. Je ne cherchais pas à révolutionner le travail du gardien de but. Mais c'était un style qui me convenait. En réalité, je m'étais inspiré du jeu de plusieurs gardiens : Glenn Hall, pour ses réflexes, Terry Sawchuk, pour son énergie et sa nature compétitive, Johnny Bower, pour ses mises en échec. En intégrant ces différents aspects, j'ai créé mon propre style. »

À l'instar de quelques rares collègues de la LNH, Esposito s'efforçait de rester en forme pendant l'été. « Je me suis toujours entraîné, dit-il. Je faisais des poids et haltères chez moi et je jouais au racquetball pour travailler mes jambes et mes réflexes. J'ai tenu la forme jusqu'à mon tout dernier match et j'aurais été capable de jouer jusqu'à 45 ans. Si j'ai fait partie de la LNH pendant 15 ans, c'est en grande partie grâce à l'entraînement. »

Esposito a offert une performance remarquable dès son arrivée à Chicago en 1969-70. Il a inscrit 38 victoires, 17 défaites, 8 matchs nuls, une moyenne des buts alloués de 2,17 et 15 blanchissages, un record toujours inégalé depuis l'expansion de 1967 (en 1928-29, George Hainsworth avait réussi 22 blanchissages). Il a également aidé les Blackhawks à se rendre aux éliminatoires, ce qu'ils n'avaient pas réussi l'année précédente.

C'est lorsqu'il jouait pour les Canadiens de Montréal qu'Esposito avait commencé à reluquer les Blackhawks. « On avait battu les Hawks lors d'un match où j'étais gardien de but, dit-il. Mais je voyais bien qu'ils dominaient le jeu. Tout de même ! On parle d'attaquants comme (Stan) Mikita et Bobby Hull ! Leur défense n'était pas mauvaise non plus. En fait, leur seule faiblesse, c'était le gardien de but. Quand j'ai eu la chance d'aller jouer pour eux, je l'ai saisie. » En huit ans avec les Blackhawks, Esposito a inscrit au moins 30 victoires par saison et il leur a permis de se rendre aux séries éliminatoires chaque fois qu'ils le comptaient dans leur alignement.

En 1972, grâce à son prodigieux talent, Esposito a été invité à garder le but de l'Équipe Canada lors de la fameuse Série du siècle. Il a inscrit deux victoires, une défaite et un match nul, et a découvert à quel point son style était efficace contre les Soviétiques. « On ne savait pas à quoi s'attendre avec eux, dit-il. Leur jeu était totalement différent du nôtre. C'est seulement une fois qu'ils étaient tout près du filet qu'ils lançaient la rondelle. J'avais donc intérêt à rester au fond. »

> « J'aurais été capable de jouer jusqu'à 45 ans. Si j'ai fait partie de la LNH pendant 15 ans, c'est en grande partie grâce à l'entraînement. »
>
> **– Tony Esposito**

En 1982-83, l'arrivée du jeune Murray Bannerman chez les Blackhawks a sonné le glas de la carrière d'Esposito. Le partage des tâches ne souriait guère à ce bourreau de travail. « Je n'étais pas fait pour travailler à temps partiel, dit Esposito, qui a pris sa retraite en 1984. J'étais en pleine forme, mais psychologiquement, je n'arrivais pas à m'adapter à cette nouvelle situation. »

Esposito n'est jamais parvenu à faire graver son nom sur la Coupe Stanley, mais il a tout de même été un joueur d'élite pendant tout le temps qu'il a fait partie de la LNH. « J'ai été longtemps au meilleur de mes capacités, dit-il. Le savoir-faire, c'est une chose, mais il faut l'entretenir. Ce n'est pas rare de voir des gars qui s'en tirent bien pendant quelques années, mais qui finissent par dépérir. La durée, la longévité, c'est une réalisation en soi. Et j'en suis fier. »

– AP

Tony Esposito, gardien de but
Né le 23 avril 1943

Carrière au sein de la LNH :	1968-84
Équipes :	Montréal, Chicago
Fiche (saisons régulières) :	423 victoires, 306 défaites, 151 matchs nuls ; moyenne des points alloués de 2,92, 76 blanchissages en 886 matchs
Fiche (séries éliminatoires) :	45 victoires, 53 défaites ; moyenne des points alloués de 3,07 ; 6 blanchissages en 99 matchs
Trophées :	
• **Calder**	1 (1970)
• **Vézina**	3 (1970, 1972, 1974)
Nominations – 1re équipe d'étoiles :	3 (1970, 1972, 1980)
Nominations – 2e équipe d'étoiles :	2 (1973, 1974)
Coupes Stanley :	0
Ce qu'on dira de lui :	Son style papillon a révolutionné le travail du gardien de but.

46

Chris
Pronger

Grande gueule

Chris Pronger ne saurait dire à quel moment exactement il a fait l'examen de conscience qui l'a amené à prendre sa carrière en main. Peut-être que c'est lors de son premier entraînement avec les Blues de Saint-Louis, lorsqu'il s'est rendu compte qu'il était à peu près aussi en forme qu'un joueur du dimanche. Peut-être que c'est à force de se faire crier après par Mike Keenan qui lui reprochait ses frasques dans la vie civile. Ou peut-être que c'est juste avant les éliminatoires de 1996, lorsque le même Keenan lui a dit qu'il était prêt à l'échanger contre Alexei Yashin des Sénateurs d'Ottawa s'il ne se ressaisissait pas.

Chose certaine, Mike Keenan l'a beaucoup influencé. Mais lorsque Pronger a fini par s'engager sur la voie tortueuse du succès, il est devenu l'un des plus grands défenseurs de la LNH.

> « Quand tu as un esprit aussi combatif que le mien, tu détestes perdre. Et si je n'avais rien fait pour changer les choses, j'aurais perdu. Je me suis donc mis à travailler. »
>
> – Chris Pronger

Sélectionné au deuxième rang du repêchage de 1993 par les Whalers, Pronger a été cédé aux Blues de Saint-Louis pendant l'été 1995. « J'avais 21 ans, se rappelle le joueur. Je venais de vivre un enfer à Hartford, et là, je me faisais réprimander sans cesse par Mike Keenan. J'étais complètement perdu. C'était ça la LNH ? C'était supposé être fantastique, mais moi je trouvais ça abominable. »

Jusque-là, Pronger avait pu se débrouiller en comptant essentiellement sur son prodigieux talent, son imposante stature et sa capacité de retomber sur ses pieds. Mais quand il a joint les rangs de l'équipe de Saint-Louis, il a dû se mettre au boulot. « Soit j'abandonnais, soit je me ressaisissais, dit Pronger. Quand tu as un esprit aussi combatif que le mien, tu détestes perdre. Et si je n'avais rien fait pour changer les choses, j'aurais perdu. Je me suis donc mis à travailler. »

Ça tombait bien. Quelques années auparavant, quand il était encore avec les Whalers de Hartford, Pronger avait fait un séjour dans une prison de Buffalo avec quelques-uns de ses coéquipiers et l'entraîneur adjoint Kevin McCarthy, après avoir participé à une bagarre de bar. Un peu plus tard au cours de la même saison, il a eu un accident de voiture à Hartford. Enfin, il a été accusé de conduite en état d'ébriété dans l'État de l'Ohio après s'être querellé avec son frère Sean, lui aussi joueur de la LNH.

Le lockout de la LNH en 1994-95 n'a rien arrangé pour Pronger. Puisqu'il ne voyait pas à quel moment il pourrait reprendre du service, il a décidé sur un coup de tête d'aller à l'université. « Je suis allé à Winnipeg parce que tous mes copains y étaient, se rappelle

Pronger. Mais j'ai fait la fête pratiquement tout le temps et je ne me suis presque pas entraîné. » Mais quels cours suivait-il à l'Université du Manitoba ? « Qui a dit que j'étais allé à l'université pour suivre des cours ? » rétorque-t-il.

Pronger a entrepris sa longue période de rédemption à l'été 1995, après avoir été échangé contre Brendan Shanahan des Blues de Saint-Louis. Il s'est alors révélé comme un joueur très dynamique et très résistant. En fait, seul son coéquipier des Ducks d'Anaheim, Scott Niedermayer, semble avoir plus d'énergie que lui. Lors d'un match en saison régulière, Pronger a joué pendant 42 minutes. En temps normal, il passe en moyenne 30 minutes sur la patinoire.

La taille de Pronger, sa portée et son sens du jeu font de lui un défenseur hors du commun. Son attaque n'est pas mal non plus. Entre autres, il est capable de faire des lancers frappés bas d'une extrême précision et de très longues passes dont les adversaires ne se méfient pas assez. Sa performance aux deux extrémités de la patinoire a atteint un sommet en 1999-2000, lorsqu'il a enregistré un différentiel de +52. Pas étonnant qu'il ait raflé les trophées Norris et Hart.

« Je suis capable faire des passes précises de 20 mètres, dit ce triple joueur olympique qui a remporté la médaille d'or à Salt Lake City en 2002. J'y arrive même quand la rondelle roule sur elle-même. La raison pour laquelle Al (MacInnis) n'a jamais pris de chance depuis la ligne bleue, c'est parce qu'il n'arrivait pas à contrôler la rondelle. Moi, je n'ai jamais eu ce problème. »

Pronger a beau s'être assagi, il n'a rien perdu de son franc-parler, ce qui lui cause parfois des ennuis. Durant le lockout de 2004-05, il a été accusé de contrecarrer les efforts du syndicat en s'adressant directement à la direction de la LNH. Et après les séries éliminatoires de 2006, il est devenu *persona non grata* auprès des fans des Oilers d'Edmonton parce qu'il a exigé d'être échangé sans vraiment donner d'explication.

Les choses n'ont tout de même pas mal tourné pour Pronger, qui a été un élément essentiel de la victoire des Ducks d'Anaheim lors du championnat de la Coupe Stanley en 2007. « Je suis vraiment heureux ici, dit Pronger après sa première saison à Anaheim. Je sens que j'évolue encore comme joueur. »

– KC

Chris Pronger, défenseur

Né le 10 octobre 1974

Carrière au sein de la LNH:	1993-...
Équipes:	Hartford, Saint-Louis, Edmonton, Anaheim
Fiche (saisons régulières):	119 buts, 396 passes, 515 points en 868 matchs
Fiche (séries éliminatoires):	18 buts, 69 passes, 87 points en 128 matchs
Trophées:	
• **Norris**	1 (2000)
• **Hart**	1 (2000)
Nominations – 1re équipe d'étoiles:	1 (2000)
Nominations – 2e équipe d'étoiles:	3 (1998, 2004, 2007)
Coupes Stanley:	1
Ce qu'on dira de lui:	Ce joueur polyvalent était un atout partout sur la patinoire.

47

Dale Hawerchuk

Appelez-le Ducky

Une fois l'entente conclue entre la jeune recrue Dale Hawerchuk et les Jets de Winnipeg en 1981, le DG John Ferguson a déclaré qu'il n'embaucherait plus jamais de premier choix de repêchage.

C'est effectivement ce qui s'est produit, mais pendant toutes ces années, les Jets (les Coyotes de Phoenix à partir de 1996) n'ont pas non plus dépassé la deuxième ronde des éliminatoires. Cette performance quelconque ne saurait toutefois être attribuée à Hawerchuk. En 38 matchs éliminatoires avec les Jets, il a inscrit 49 points, dont 16 buts.

Hawerchuk était un athlète brillant, élégant et efficace, dont la contribution était essentielle. Le hic, c'est qu'il faisait partie d'une équipe qui n'a jamais menacé le monopole d'excellence que détenaient les Oilers d'Edmonton à l'époque.

Le jeune centre avait fait ses preuves avant même d'arriver à Winnipeg. Il avait été élu joueur de l'année de la Ligue canadienne de hockey junior majeur et joueur le plus utile du tournoi de la Coupe Memorial. Certains le comparaient à Wayne Gretzky. Serge Savard, qui a joué quelque temps avec Hawerchuk avant de prendre sa retraite, a déclaré : « Il va être aussi bon que Gretzky. N'oubliez pas que c'est moi qui l'ai dit le premier. »

Dès sa première année avec les Jets, Hawerchuk a offert une performance remarquable. Élu recrue de l'année, il été le plus jeune joueur à dépasser le cap des 100 points, un record que Sidney Crosby a battu en 2005-06. Jusqu'en 1988, il a compté plus de 100 points à 6 reprises. En 1984-85, il a été choisi pour faire partie de la seconde Équipe d'étoiles, derrière Gretzky.

À l'instar de Gretzky qui faisait équipe avec Jari Kurri, Hawerchuk travaillait en tandem avec Paul MacLean, un joueur universitaire réchappé de Saint-Louis, qui en 7 ans à Winnipeg, a inscrit plus de 30 buts par saison à 6 reprises. « C'est facile de jouer avec Ducky, a déclaré MacLean à l'époque. Tu lui passes la rondelle au centre de la patinoire, puis tu te positionnes au bon endroit, et tôt ou tard, tu la reçois. »

Toutefois, Hawerchuk n'a jamais vraiment pu sortir de l'ombre projetée d'abord par Wayne Gretzky, puis par Mario Lemieux. « Il nous a démontré qu'il est le deuxième meilleur joueur de la ligue », a déclaré le défenseur Randy Carlyle lorsque le contrat de Hawerchuk avec les Jets a été prolongé en 1985. Mais le principal intéressé a toujours considéré que la comparaison avec Gretzky était plus un compliment qu'une insulte.

« Honnêtement, dit Hawerchuk, je trouve que j'ai été chanceux de jouer contre lui et avec lui (dans les tournois de la Coupe Canada). Chaque fois que quelqu'un fait référence au génie de Wayne Gretzky, je peux lui dire que je sais exactement de quoi il parle. De plus, il a ouvert la voie de la LNH aux jeunes joueurs. Avant lui, les équipes hésitaient à prendre des gars de 18 ans. »

> « Tu passes la rondelle à Hawerchuk au centre de la patinoire, puis tu te positionnes au bon endroit, et tôt ou tard, tu la reçois. »
>
> **– Paul MacLean**

La performance d'Hawerchuk n'est pas passée inaperçue lors du dernier match du tournoi de la Coupe Canada 1987. Le trio qu'il formait avec Brent Sutter et Rick Tocchet a d'abord donné à l'équipe canadienne le coup d'envoi dont elle avait besoin pour remonter la pente après avoir encaissé trois points de la part des Soviétiques. Puis en deuxième période, c'est Hawerchuk qui a compté le but permettant au Canada de prendre les devants. Et même si, en troisième période, le but gagnant – l'un des plus spectaculaires de l'histoire du hockey – est redevable au tandem Gretzky-Lemieux, c'est Hawerchuk qui a été élu joueur le plus utile de ce match.

« On tirait de l'arrière, se rappelle Hawerchuk. On s'est rendu compte qu'on ne pouvait pas toujours compter sur Gretzky et Lemieux pour nous sortir du pétrin. Avec Sutter et Tocchet, on a décidé d'être agressifs et de foncer. »

Hawerchuk semblait être condamné à terminer sa carrière avec les Jets, mais en 1990, le club a acquiescé à sa demande et l'a échangé. C'était le temps d'un renouveau autant pour le joueur que pour les Jets. « Je pense que si cette transaction avait eu lieu l'an dernier, au moins 500 personnes auraient voulu me pendre, avait déclaré Mike Smith, le DG des Jets à l'époque. Mais pas cette année. »

En quatre saisons avec les Sabres de Buffalo, Hawerchuk ne s'est toutefois pas vraiment rendu plus loin dans les séries éliminatoires qu'avec son ancienne équipe. Il a enfin participé aux finales de la Coupe Stanley avec les Flyers de Philadelphie en 1997. Mais les Red Wings de Detroit n'en ont fait qu'une bouchée en les éliminant en quatre matchs. Des maux de dos chroniques ont forcé Hawerchuk à se retirer cette année-là, avec une place assurée au Temple de la renommée.

– KC

Dale Hawerchuk, centre
Né le 4 avril 1963

Carrière au sein de la LNH :	1981-97
Équipes :	Winnipeg, Buffalo, Saint-Louis, Philadelphie
Fiche (saisons régulières) :	518 buts, 891 passes, 1 409 points en 1 188 matchs
Fiche (séries éliminatoires) :	30 buts, 69 passes, 99 points en 97 matchs
Trophées :	
• **Calder**	1 (1982)
Nominations – 1re équipe d'étoiles :	0
Nominations – 2e équipe d'étoiles :	1 (1985)
Coupes Stanley :	0
Ce qu'on dira de lui :	Une force bilatérale dotée d'un sens inné de l'attaque.

48

Pat LaFontaine

Le Dynamo de New York

En 1993, Pat LaFontaine était favori pour remporter le trophée Art Ross. Mais quelques heures seulement après son dernier traitement de radiothérapie, Mario Lemieux est revenu au jeu pour terminer sa saison. En 17 matchs, il a inscrit 51 points, portant son total annuel à 160, soit 12 points de plus que LaFontaine. « Ça m'a fait plaisir de m'incliner devant un gars qui, après avoir eu le cancer, a joué comme il l'a fait », dit LaFontaine qui, pour sa part, a enregistré 148 points en 84 matchs cette saison-là.

Ce n'était pas la première fois que les deux joueurs s'affrontaient ainsi. Exactement dix ans auparavant, LaFontaine et Lemieux, respectivement vedettes des Canadiens juniors de Verdun et des Titans de Laval de la LHJMQ, accumulaient des quantités records de points en remplissant les arénas du Québec.

À la veille de Noël 1983, LaFontaine se classait derrière Lemieux. Mais en faisant l'acquisition de Gérard Gallant, les Canadiens juniors lui ont fourni un atout de taille qui lui a permis de terminer la saison avec le score spectaculaire de 234 points, soit 50 de plus que Lemieux.

De la même génération que les Lemieux, Gretzky et Yzerman, LaFontaine a mené sa carrière à l'ombre de leurs exploits. Il n'en a pas moins affiché une performance qui lui a valu d'être admis au Temple de la renommée en 2003.

Bien que né aux États-Unis, LaFontaine a des racines canadiennes par son père qui a quitté l'Ontario dans les années 50, avec une centaine de dollars en poche. John LaFontaine a suivi des cours du soir pendant huit ans afin de décrocher un diplôme en administration des affaires qui l'a amené à occuper un poste de chef d'usine chez Chrysler. « C'est toujours lui que Lee Iaccoca envoyait remettre les choses en place dans les usines en difficulté », dit LaFontaine.

John LaFontaine a inculqué à son fils aîné le sens de l'honnêteté et du respect d'autrui. Il lui a aussi appris à faire des passes et à marquer des buts sur le lac Williams près de leur maison de Waterford, au Michigan. Toutes ces leçons ont porté fruit puisque LaFontaine a compté 324 points lors de sa dernière saison dans la catégorie midget, avant de joindre l'équipe de Verdun.

Sélectionné au troisième rang du repêchage de 1983 par les Islanders, LaFontaine n'a rejoint l'équipe new-yorkaise qu'après avoir représenté les États-Unis aux Jeux olympiques de 1984, où il s'est distingué au sein de la « Diaper Line* ».

LaFontaine et son camarade des Olympiques Pat Flatley ont dû travailler fort pour mériter le respect de leurs coéquipiers des Islanders, qui voyaient les jeunes joueurs comme des intrus. « Des gars comme Wayne Merrick se sentaient menacés par notre arrivée, dit LaFontaine. À leur place, j'aurais peut-être réagi de la même façon. »

Cette année-là, les Islanders, qui visaient leur cinquième championnat d'affilée l'ont perdu aux mains des Oilers d'Edmonton. Par la suite, LaFontaine n'a plus jamais eu l'occasion de remporter de Coupe Stanley, bien qu'il ait connu des succès personnels avec les trois équipes new-yorkaises de la LNH.

> « Ce but (en quatrième période de surtemps en 1987) a tout mis en branle pour moi. »
>
> – Pat LaFontaine

L'un de ces exploits s'est produit le 18 avril 1987, lors des séries éliminatoires opposant les Islanders aux Capitals de Washington. LaFontaine a alors mis fin au match le plus long de l'histoire de la LNH, en comptant un but à 8 m 47 s, en quatrième période de surtemps.

« Ce but a tout mis en branle pour moi, dit LaFontaine. J'étais avec les Islanders depuis deux ans et je m'étais taillé une place au sein de l'équipe, mais ce but m'a vraiment fait prendre mon envol. »

Malheureusement, deux ans plus tard, LaFontaine a subi le premier d'une série de commotions cérébrales qui ont freiné cet élan. Dommage, car lorsqu'il était en santé, il était l'un des attaquants les plus dynamiques de la LNH. En 1992-93, c'est en grande partie grâce à ses passes que son coéquipier des Sabres, Alexander Mogilny, a pu compter 76 buts.

---

*Littéralement « formation en couche ». Surnom donné au trio de joueurs formé par LaFontaine, Ed Olczyk et Dan Jansen, qui avaient tous moins de 18 ans.

Après s'être rétabli d'un cinquième trauma qui avait anéanti la plus grande partie de sa saison 1996-97, LaFontaine a fait fi des recommandations des Sabres et refusé de prendre sa retraite. Il a alors été échangé contre un second choix de repêchage des Rangers de New York. Mais à la fin de la saison 1997-98, il s'est violemment heurté à son coéquipier Mike Keane et a été victime d'une ultime commotion qui l'a convaincu de cesser de jouer. Il risquait en effet de subir des dommages permanents au cerveau s'il subissait une nouvelle lésion.

LaFontaine est co-auteur d'un ouvrage intitulé *Companions in Courage*, qui porte sur des athlètes ayant eu à surmonter différents obstacles. Les recettes tirées de la vente de ce livre ont également permis de créer la Companions in Courage Foundation, qui aide les enfants et les familles aux prises avec des maladies très graves.

– KC

Pat LaFontaine, centre
Né le 22 février 1965

Carrière au sein de la LNH :	1984-98
Équipes :	Islanders de NY, Buffalo, Rangers de NY
Fiche (saisons régulières) :	468 buts, 545 passes, 1 013 points en 865 matchs
Fiche (séries éliminatoires) :	26 buts, 36 passes, 62 points en 69 matchs
Trophées :	
• Masterton	1 (1995)
Nominations – 1ʳᵉ équipe d'étoiles :	0
Nominations – 2ᵉ équipe d'étoiles :	1 (1993)
Coupes Stanley :	0
Ce qu'on dira de lui :	L'un des joueurs d'origine américaine les plus talentueux.

49

Brendan Shanahan

Courage à l'irlandaise

Brendan Shanahan jouait depuis quelques mois à peine pour les Devils du New Jersey lorsque le vétéran de l'équipe adverse qui lui faisait face dans le cercle de mise au jeu lui a demandé comment se passaient les choses pour lui. « Pas terrible, a répondu Shanahan juste avant que l'arbitre laisse tomber la rondelle. Je compte autant de buts que Ron Hextall. »

Personne ne se doutait alors que Shanahan deviendrait l'un des meilleurs ailiers gauches de tous les temps. D'abord, il était centre ; ensuite, il n'avait pas son pareil pour amuser la galerie. Habituellement, ce genre de joueurs a beaucoup moins de talent sur la patinoire que de verve dans le vestiaire. Dommage, dit-on dans le milieu du hockey, qu'ils insistent pour jouer.

Shanahan est passé de la position de centre de troisième ligne à celle d'ailier gauche de première ligne au milieu de sa deuxième saison avec les Devils, lorsqu'il a dû remplacer Mark Johnson qui s'était blessé. Du même coup, il a accédé au vedettariat.

« L'année où j'ai été repêché, dit Shanahan, j'avais compté 39 buts avec les Knights de London de la LHO, mon record personnel. J'étais centre chez les juniors, mais j'étais davantage passeur que marqueur. Dans la LNH, je me suis rendu compte que j'étais meilleur dans la position d'ailier – d'ailier gauche, par-dessus le marché. Ça s'est produit du jour au lendemain. Certains disent que ç'a été graduel, mais ce n'est pas vrai. Ç'a été subit. »

Cette position a tellement réussi à Shanahan qu'il se hissera probablement au deuxième rang des meilleurs pointeurs chez les ailiers gauches, juste derrière Luc Robitaille. À ce jour, il reste d'ailleurs le seul joueur de la LNH à avoir accumulé 1 200 points, dont 600 buts, et plus de 2 000 minutes de pénalité. En près de 20 ans de carrière, Shanahan n'a eu moins de 100 minutes de pénalité par saison qu'à deux reprises. D'ailleurs, lors du tournoi mondial de hockey junior de 1987, lui, ses coéquipiers canadiens et les membres de l'équipe soviétique se sont fait expulser après une spectaculaire bagarre générale.

« Je me suis beaucoup battu, mais c'est comme ça que j'ai gagné de l'espace et du respect, dit Shanahan. Il faut dire que j'avais des adversaires de taille : (Rick) Tocchet, (Willi) Plett, (Craig) Bérubé, par exemple. »

Shanahan n'a peut-être jamais hésité à jeter le gant, mais c'est tout de même quand il joue qu'il est le plus dangereux. Avec les Devils, il a compté la majorité de ses buts près du filet, comme le font habituellement les avants, tandis qu'avec les Blues de Saint-Louis, il a diversifié son jeu et mis au point un puissant lancer du poignet.

> « Je me suis beaucoup battu, mais c'est comme ça que j'ai gagné de l'espace et du respect. »
>
> – Brendan Shanahan

On pourrait remplir des pages et des pages des exploits de Shanahan, mais on se souviendra tout autant de sa personnalité, de ses réparties et de ses mots d'esprit. Après tout, il a embrassé le roc de Blarney*.

Selon les guides médias des équipes dont il a fait partie, Shanahan compte au nombre de ses activités estivales la pratique du soccer – il aurait été gardien de but pour l'équipe irlandaise – et celle du saxophone au sein d'un groupe de jazz. Mais quand on lui demande de nous faire une démonstration de ses talents de musicien, il rétorque qu'il ne joue pas de sax les jours où il joue au hockey.

Au cours de sa carrière, Shanahan a fait l'objet de transactions grandement controversées. En 1991, lorsqu'il a signé un contrat de joueur autonome avec les Blues de Saint-Louis, les Devils ont exigé Scott Stevens en contrepartie. Quatre ans plus tard, Mike Keenan, le DG des Blues, l'a échangé contre Chris Pronger des Whalers de Hartford, un joueur qui à l'époque se distinguait surtout par un style de vie dissolu.

Pas vraiment à l'aise à Hartford, Shanahan a demandé à être échangé dès le début de sa deuxième saison. C'est ainsi qu'en 1996-97, il a été cédé à Detroit contre Keith Primeau, Paul Coffey et un premier choix de repêchage.

---

* Roc qui se trouve dans le château d'une petite ville irlandaise (Blarney) et qui, selon la légende, donne le don de l'éloquence à qui l'embrasse.

En neuf saisons à Detroit, Shanahan a remporté trois Coupes Stanley, qui lui vaudront probablement une place au Temple de la renommée. Depuis 2006, il fait équipe avec les Rangers de New York.

Shanahan s'est également illustré durant le lockout de 2004-05. Il a profité de cette pause pour organiser un sommet sur le hockey dont les recommandations, qui visent à favoriser un jeu plus propice à l'attaque, ont été prises en compte par la LNH. « Quand Michael Jordan saute pour faire un tir en suspension, a déclaré Shanahan à l'époque, les joueurs défensifs n'ont pas le droit de l'empoigner par les hanches pour le retenir. C'est à peu près là qu'on est rendus à la LNH. »

– KC

Brendan Shanahan, ailier gauche
Né le 23 janvier 1969

Carrière au sein de la LNH :	1987...
Équipes :	New Jersey, Saint-Louis, Hartford, Detroit, Rangers de NY
Fiche (saisons régulières) :	627 buts, 667 passes, 1 294 points en 1 417 matchs
Fiche (séries éliminatoires) :	58 buts, 68 passes, 126 points en 167 matchs
Trophées :	
• **Clancy Memorial**	1 (2003)
Nominations – 1ʳᵉ équipe d'étoiles :	2 (1994, 2000)
Nominations – 2ᵉ équipe d'étoiles :	1 (2002)
Coupes Stanley :	3
Ce qu'on dira de lui :	Ce puissant joueur avant n'a pas lésiné sur les buts ni sur les réparties.

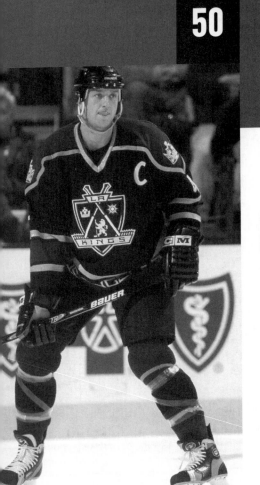

50

Rob Blake

Physique avant tout

Robert Bowlby Blake avait seulement la peau sur les os quand il était défenseur dans une équipe midget de Simcoe, en Ontario. Mais l'entraîneur Ken Gratton était convaincu qu'il avait quelque chose dans le ventre. Il lui a donc demandé de passer les épreuves de sélection pour faire partie de son équipe junior B la saison suivante.

« Mon père et moi, dit Blake, on ne connaissait rien à la structure du hockey. Mais on s'est dit que je pouvais quand même tenter ma chance. » C'est ainsi que Blake a entamé son parcours invraisemblable jusqu'à la LNH.

On était alors en 1985. Cette année-là, Dan, le fils de Ken Gratton, a été recruté par les Kings de Los Angeles. L'énigmatique jeune homme semblait destiné à la célébrité, mais apparemment personne n'a réussi à le convaincre de prendre le hockey, l'entraînement ou même la vie en général au sérieux. Il a joué tout juste sept matchs avec les Kings. Sa carrière à la LNH s'est avérée un flop total.

Quant à Blake, il était très discipliné. Ken Gratton estimait que Blake patinait mieux que la moyenne des joueurs et que son lancer pouvait être dévastateur, et il lui a appris à tirer avantage de sa taille pour faire des mises en échec. Suivant ses conseils, Blake a fait son entrée dans la LNH sur la foi d'un jeu essentiellement physique. L'adresse, l'équilibre et la maturité sont venus plus tard. Et quand le joueur a réuni tous ces atouts, il a gagné le trophée Norris et la Coupe Stanley.

Blake était désormais loin de Simcoe, une ville de 16 000 âmes, située au bord du lac Érié, juste au sud d'Hamilton. Mais cette petite localité a produit beaucoup d'excellents hockeyeurs : Blake, Red Kelly, Dwayne Roloson, Jassen Cullimore et Ryan

VandenBussche, de la LNH, Rick Kowalsky, capitaine des Greyhounds de Sault-Sainte-Marie de la LHO et récipiendaire de la Coupe Memorial en 1993. « C'est vrai qu'il y a beaucoup de joueurs de la LNH qui viennent de ce petit patelin, dit Blake. Le plus drôle, c'est qu'on vivait à peu près à cinq minutes les uns des autres. »

> « C'est sûr que, quand le plus grand joueur au monde te fait une passe dans une attaque à cinq, tu apprends beaucoup. »
>
> – Rob Blake

Blake a d'abord amélioré son jeu au sein de la ligue de hockey junior B de l'Ontario, puis avec les légendaires Cullitons de Stratford, et il l'a perfectionné pendant les trois années qu'il a passées avec l'équipe universitaire de Bowling Green. Il avait inscrit 59 points, dont 23 buts, et il lui restait quelques matchs à jouer avec cette équipe quand les Kings de Los Angeles l'ont rapatrié. Finalement, cinq ans après avoir quitté Simcoe, Blake s'est retrouvé à la LNH sans jamais avoir joué dans une ligue mineure*.

Blake s'est rapidement distingué au sein de l'équipe californienne. Après seulement quatre matchs à la fin de la saison 1989-90, on l'a trouvé assez rodé pour lui permettre de participer aux éliminatoires.

Défenseur offensif à l'université, Blake est devenu un attaquant redoutable avec les Kings, l'une des dernières grandes équipes offensives des années 90. Il faut dire qu'il avait Wayne Gretzky comme capitaine d'équipe. Parmi les 12 buts que Blake a comptés en 1990-91, neuf étaient le résultat de jeux de puissance orchestrés par le génie créatif de son célèbre coéquipier.

« Le fait d'avoir pu jouer immédiatement avec les Kings a énormément contribué à mon développement, dit Blake. C'est sûr que, quand le plus grand joueur au monde te fait une passe dans une attaque à cinq, tu apprends beaucoup. Et puis, j'ai toujours eu un bon coup de patin. À la fin des années 80 et au début des années 90, c'était avantageux. Si tu étais capable de patiner, tu trouvais toujours des ouvertures pour te faufiler. »

Blake a su tirer son épingle du jeu quand les Kings, incapables de prolonger son contrat, l'ont cédé à l'Avalanche du Colorado en 2001. Cet échange s'est avéré avantageux pour les deux équipes puisque, en contrepartie, Los Angeles a accueilli Adam

---

* Jack Johnson, qui a joint les Kings à la fin de 2006-07, a effectué un parcours semblable. D'ailleurs les Kings ont réengagé Blake à l'été 2006, entre autres pour qu'il guide la future star, un peu comme Larry Robinson l'avait fait pour lui lorsqu'il est entré dans la LNH en 1990.

Deadmarsh et Aaron Miller. Mais le grand gagnant de la transaction reste tout de même Blake, car il a aidé l'Avalanche à rafler la Coupe Stanley, en jouant presque 30 minutes par match et en inscrivant 19 points, dont 6 buts, en 23 rencontres éliminatoires.

C'est pourtant en 1997-98 que Blake a connu sa saison la plus valorisante. Éclipsant les finalistes Chris Pronger et Nicklas Lidstrom, il a raflé le trophée Norris, et ce, malgré un différentiel de -3. Il faut préciser que ce ratio négatif, comme la plupart des autres qu'a récoltés le joueur au cours de sa carrière (notamment -26 en 2006-07), était dû à la faiblesse de son équipe.

« Je me souviens de la saison où j'ai gagné le Norris, dit Blake. Mes 20 premiers matchs avaient été pourris. Ça allait mal pour moi. Je n'avais même pas été nommé sur l'Équipe d'étoiles. Mais je me suis ressaisi et le vent a tourné. »

– KC

Rob Blake, défenseur
Né le 10 décembre 1969

Carrière au sein de la LNH :	1990...
Équipes :	Los Angeles, Colorado
Fiche (saisons régulières) :	214 buts, 457 passes, 671 points en 1 056 matchs
Fiche (séries éliminatoires) :	24 buts, 43 passes, 67 points en 125 matchs
Trophées : • Norris	1 (1998)
Nominations – 1re équipe d'étoiles :	1 (1998)
Nominations – 2e équipe d'étoiles :	3 (2000, 2001, 2002)
Coupes Stanley :	1
Ce qu'on dira de lui :	Le meilleur défenseur de l'histoire des Kings.

51

Luc Robitaille

La mitrailleuse

Lorsque les Kings de Los Angeles ont retiré le numéro de Luc Robitaille en 2007, ils ont organisé une fête en son honneur. À cette occasion, Dean Lombardi, le DG des Kings, a évoqué l'évaluation qu'il avait faite du joueur lors du repêchage de 1984. En résumé, ce rapport disait que, si Robitaille maniait extrêmement bien le bâton, il était un lamentable patineur, et que ses chances de faire carrière au sein de la LNH étaient minces.

Lombardi n'était pas le seul à avoir une piètre opinion de Robitaille puisque celui-ci n'a été sélectionné qu'au 171e rang, soit bien loin derrière Tom Glavine, qui a finalement opté pour le baseball. Rétrospectivement, il s'avère que, si les Kings avaient choisi Robitaille comme seule et unique recrue en 1984, ils n'auraient pas eu un plus brillant avenir. Parmi les 11 autres joueurs sélectionnés par l'équipe de Los Angeles cette année-là, les trois seuls à avoir joué dans la LNH ont inscrit globalement une centaine de points, dont 21 buts, en 242 matchs.

Comparativement, Robitaille a remporté le trophée Calder à titre de recrue de l'année en 1987, et a participé à son premier Match des étoiles et à l'alignement partant de la Conférence de l'Ouest l'année suivante. Il est l'ailier gauche qui a enregistré le plus grand nombre de points (1 394) et de buts (668) en carrière, et le plus grand nombre de points (125) et de buts (63) en une saison, record qu'il a établi en 1992-93. En réalité, ses statistiques sont meilleures que l'ensemble des statistiques des 46 joueurs repêchés par les Kings entre 1984 et 1988 (année où ils ont sélectionné Rob Blake).

Bien que Robitaille n'ait pas tardé à confondre ses détracteurs, il n'a pas cessé de se faire critiquer et a mis du temps à obtenir le respect qu'il méritait. Ainsi, au moment où il s'élançait sur la glace pour aller rejoindre Wayne Gretzky et Mark Messier, ses coéquipiers de l'Équipe des étoiles, l'entraîneur Glen Sather lui a dit de revenir sur le banc aussitôt après la mise au jeu. « Pourtant, se rappelle le joueur, on m'avait choisi pour faire partie de cette équipe. » Et lorsqu'il jouait pour les Olympiques de Hull, une équipe junior dont l'entraîneur était Pat Burns et le propriétaire, Wayne Gretzky, un reporter avait écrit qu'il patinait plus lentement qu'une zamboni.

Mais finalement, ces commentaires désobligeants ont surtout alimenté la passion que Robitaille avait pour le hockey, lui donnant plus d'énergie et de force pour foncer vers le filet et compter. « Ça m'a beaucoup amusé de contredire certaines personnes, dit-il. Mais ce n'était pas ça le plus important. Le plus important, c'était de pratiquer un sport que j'adorais, en y mettant tout mon cœur. »

> « Le plus important, c'était de pratiquer un sport que j'adorais, en y mettant tout mon cœur. »
>
> – Luc Robitaille

Quand Robitaille est arrivé à Los Angeles, il ne parlait pas un mot d'anglais. Il l'a appris en regardant des épisodes de *Three's Company* et *The Flintstones* à la télé. C'était à une époque où les résultats des matchs signifiaient encore quelque chose pour les joueurs et les entraîneurs. Les Kings étaient d'ailleurs en train de se monter une formidable équipe de jeunes joueurs, dont Jimmy Carson, sélectionné au deuxième rang du repêchage de 1986 (le plat de résistance offert aux Oilers pour acquérir Gretzky en 1988). Malgré tout, ils ont perdu la Coupe Stanley aux mains des Canadiens de Montréal en 1993, et n'ont jamais fait mieux par la suite.

Si Robitaille a passé la majeure partie de sa carrière et l'a même terminée avec les Kings, c'est avec les Red Wings de Detroit qu'il a gagné une Coupe Stanley en 2002. Il s'est également distingué sur la scène internationale. En 1994, il a permis à l'équipe canadienne de remporter le Championnat du monde de hockey sur glace en Italie en comptant le but gagnant lors d'un tir en fusillade. C'était la première fois que le Canada gagnait ce tournoi depuis la victoire des Smoke Eaters de la Colombie-Britannique en 1961.

« Je serai toujours fier de cet exploit, rapporte Robitaille. Glen Sather m'a dit qu'il m'avait nommé capitaine de l'équipe parce qu'il voulait un leader. Durant ce match, j'ai pensé que ce serait peut-être la seule fois que je gagnerais quoi que ce soit. »

– KC

Luc Robitaille, ailier gauche
Né le 17 février 1966

Carrière au sein de la LNH :	1986-2006
Équipes :	Pittsburgh, Rangers de NY, Detroit
Fiche (saisons régulières) :	668 buts, 726 passes, 1 394 points en 1 431 matchs
Fiche (séries éliminatoires) :	58 buts, 69 passes, 127 points en 159 matchs
Trophées :	
• Calder	1 (1987)
Nominations – 1ʳᵉ équipe d'étoiles :	5 (1988, 1989, 1990, 1991, 1993)
Nominations – 2ᵉ équipe d'étoiles :	3 (1987, 1992, 2001)
Coupes Stanley :	1
Ce qu'on dira de lui :	Critiqué pour son coup de patin, jamais pour son coup de bâton.

52

Stan Mikita

Un loup converti en mouton

C'est à peu près à l'époque de l'expansion de la LNH que Stan Mikita, le joueur voyou, s'est transformé en véritable gentleman. Les trophées Lady Byng qu'il a remportés en 1967 et en 1968 témoignent d'ailleurs de sa surprenante métamorphose. Mikita adore raconter comment cela est arrivé, et il ne s'en est pas privé au cours de sa carrière.

Un jour qu'il rentrait chez lui après être allé jouer à l'extérieur de Chicago, il a été accueilli par sa petite fille.

« Je t'ai regardé hier à la télévision, dit-elle. Tu étais vraiment bon.

— Merci, ma chérie, répondit Mikita.

— Mais quand le monsieur avec le chandail rayé a sifflé, pourquoi tu n'as pas suivi oncle Bobby et oncle Kenny ? Pourquoi tu étais assis tout seul dans ton coin ? Tu avais fait quelque chose de mal ? »

Cette question avait fait réfléchir Mikita. Il se savait assez futé pour être capable de changer les choses à son avantage. Après tout, il lui avait fallu moins de six mois pour maîtriser une langue dont il ne connaissait pas un traître mot quand, à l'âge de huit ans, il était arrivé au Canada de sa Tchécoslovaquie natale. On lui avait même fait sauter une année scolaire.

Mais à la même époque, Mikita se faisait aussi traiter d'« immigré » et de tous les noms qu'on pouvait inventer à la fin des années 40. Ces insultes ont d'ailleurs alimenté la rage et la détermination qui ont fait de ce joueur au petit gabarit (1 m 75 et 72 kg) un adversaire extrêmement redouté sur la patinoire.

L'été suivant la conversation avec sa fille, Mikita a consulté les rapports de ses 20 premiers matchs de la saison précédente. Il a observé qu'il avait accumulé énormément de minutes de pénalité pour inconduite, retenue, accrochage et trébuchage.

« Je me suis dit que, si j'améliorais mon coup de patin pour dégager plus rapidement, j'aurais moins de pénalités, raconte Mikita. En plus, je criais tellement après les arbitres qu'au bout d'un moment ils n'avaient pas d'autre choix que de me coller une punition supplémentaire. J'ai donc décidé de changer de tactique. Chaque fois que je serais puni, j'irais m'excuser auprès de l'arbitre. J'allais tous les submerger de gentillesse. »

S'il s'est assagi, Mikita n'a rien perdu de son esprit de compétition et a continué d'offrir une excellente performance après l'expansion. À partir de 1967, il a compté au moins 30 buts par saison à 5 reprises, et inscrit 883 de ses 1 467 points en carrière, mais seulement 511 de ses 1 493 minutes de pénalité. Et en 1968, il a remporté le trophée Art Ross et le trophée Hart.

Les statistiques de Mikita auraient pu être encore meilleures s'il n'avait pas été victime de blessures qui lui ont causé des maux de dos chroniques. Le joueur se rappelle avoir reçu deux solides coups de bâton dans le creux des reins à 40 secondes d'intervalle, lors d'un match contre les Canadiens de Montréal en 1969, gracieuseté de Jacques Lemaire et de Jacques Laperrière. Il a dû recevoir des injections de cortisone jusqu'à la fin de sa carrière pour tolérer la douleur quand il jouait. « Le bon côté, dit Mikita, c'est que je n'avais pas à travailler aussi fort qu'avant pendant les entraînements. »

> « Je me suis dit que, si j'améliorais mon coup de patin pour dégager plus rapidement, j'aurais moins de pénalités. »
>
> – Stan Mikita

À l'été 1973, Mikita s'est fait proposer un contrat de 15 millions de dollars répartis sur 7 ans par les Cougars de l'Association mondiale de hockey. Contrairement à son coéquipier Bobby Hull, il a décliné l'offre pour accepter celle des Blackhawks : un contrat d'un million de dollars réparti sur cinq ans. À l'époque, le club de Chicago avait fait l'éloge du joueur pour sa loyauté, mais sa décision était aussi motivée par le fait que les Cougars ne voulaient pas garantir le contrat.

« L'année précédente, se rappelle Mikita, la photo de Bobby Hull avec son gros chèque de un million de dollars des Jets avait fait la une du *Chicago Tribune*. Tous les jours par la suite, j'ai fait une révérence en direction de Winnipeg parce que, grâce au geste de Bobby, mon salaire a doublé sans que je le demande. Avant ça, il fallait se battre pour avoir une augmentation de 500 $. »

Malgré l'infortune des Blackhawks au championnat de la Coupe Stanley, Mikita reste l'un des joueurs les plus polyvalents des années 70. Un jour qu'il était absent d'un match contre Philadelphie, Fred Shero, l'entraîneur des Flyers, a dit qu'il ne pouvait pas bien évaluer le jeu de l'équipe de Chicago puisqu'il lui manquait le cerveau.

L'ancien entraîneur des Blackhawks, Billy Reay, l'a décrit comme « le meilleur centre de toute la LNH », tandis que le propriétaire du club, Bill Wirtz, a déclaré que « Stan Mikita était le plus grand joueur à avoir porté l'uniforme des Blackhawks ». En 1980, pour couronner le tout, le numéro de Mikita, le numéro 20, a été le premier à être retiré par les Blackhawks.

– KC

Stan Mikita, centre*
Né le 20 mai 1940

Carrière au sein de la LNH :	1958-80
Équipes :	Chicago
Fiche (saisons régulières) :	326 buts, 557 passes, 883 points en 845 matchs
Fiche (séries éliminatoires) :	35 buts, 51 passes, 86 points en 89 matchs
Trophées :	
• **Art Ross**	1 (1968)
• **Hart**	1 (1968)
• **Lady Byng**	2 (1967, 1968)
Nominations – 1re équipe d'étoiles :	1 (1968)
Nominations – 2e équipe d'étoiles :	1 (1970)
Coupes Stanley :	0
Ce qu'on dira de lui :	Au milieu de sa carrière, sa métamorphose personnelle a été aussi spectaculaire que son style au hockey.

Ces statistiques ne tiennent pas compte de la période précédant l'expansion.

53

Ed
Belfour

L'aigle agressif

À différentes occasions au cours de la magistrale carrière de Ed Belfour, les sceptiques ont douté de ses compétences. Mais il n'a pas cessé de leur montrer qu'ils avaient tort.

« Ça m'a fait du bien de leur rabattre le caquet, a dit Belfour à *The Hockey News* en 2003. Souvent, les gens ont voulu me dénigrer. Ils ont dit que je n'étais pas à la hauteur de mes réalisations. Ce n'est pas pour me vanter, mais je leur ai prouvé qu'ils se trompaient, et j'en suis bien content. » Mais il faut bien admettre que Belfour – encore dans une équipe junior A à l'âge de 21 ans – ne semblait pas avoir l'étoffe d'un futur joueur de la LNH.

C'est en 1986-87, avec l'équipe de l'Université du Dakota du Nord, que le natif de Carmen, au Manitoba, a commencé à mettre au point la technique et les habiletés pour lesquelles il a été reconnu plus tard. Cette saison-là, il a inscrit 29 victoires, 4 défaites et une jolie moyenne des buts alloués de 2,37, permettant ainsi à son équipe de se rendre au championnat de la National Collegiate Athletic Association (NCAA).

Sa performance n'est pas passée inaperçue, et la même année, les Blackhawks de Chicago lui ont offert un contrat de joueur autonome. « Il a d'excellents réflexes et il récupère rapidement, avait dit Jack Davison, le directeur du recrutement des Hawks, à l'époque. C'est un solide gardien, qui peut donner du fil à retordre à ses adversaires. »

De 1987 à 1990, Belfour a joué en alternance pour les Blackhawks, l'Équipe Canada et une équipe de la Ligue internationale de hockey. C'est l'année suivante qu'il a officiellement entamé sa carrière au sein de la LNH. Ses trois années d'apprentissage lui ont été profitables puisqu'en 1990-91 il a enregistré 43 victoires, 19 défaites, 7 matchs nuls, une moyenne des buts alloués de 2,47, et récolté de nombreuses récompenses : le trophée Calder, à tire de meilleure recrue de l'année, le premier de ses deux trophées Vézina, à titre de meilleur gardien de la ligue, le premier de quatre trophées Jennings, remis au gardien ayant concédé le moins de buts durant la saison régulière, et une nomination pour le trophée Hart.

> **« Beaucoup de gens ne voient pas l'homme affable sous le masque du gardien. »**
>
> **– Vladislav Tretiak**

Pendant les éliminatoires de 1991-92, Belfour a remporté 12 matchs consécutifs pour les Blackhawks avant qu'ils ne mordent la poussière devant les Penguins de Mario Lemieux lors de la finale de la Coupe Stanley. L'année suivante, il a raflé son deuxième trophée Vézina.

Malgré ces exploits, il semble que Belfour n'ait jamais été pleinement soutenu par la direction des Blackhawks. Par ailleurs, il était souvent en désaccord avec l'entraîneur Mike Keenan et avec le gardien de but remplaçant Jeff Hackett.

Les statistiques du gardien laissaient à désirer lorsqu'il a été cédé à San Jose à la fin de la saison 1996-97, et elles ne se sont guère améliorées pendant les 13 matchs où il a gardé le filet des Sharks. Il va sans dire que les mauvaises langues ont repris du service.

Ne se laissant pas abattre, Belfour a signé un contrat de joueur autonome avec les Stars de Dallas à l'été 1997, un partenariat qui a porté fruit immédiatement. Le gardien a en effet enregistré 37 victoires, 12 défaites, 10 matchs nuls, une moyenne des buts alloués de 1,88, et il a permis à sa nouvelle équipe de gagner son premier trophée Président en 1998.

Malgré leur défaite aux mains de Detroit lors de la finale de la Conférence de l'Ouest ce printemps-là, les Stars ont conservé Belfour. Il les a remerciés par une performance renversante en 1998-99 : 35 victoires, une moyenne des buts alloués de 1,99 et un autre trophée Président. Mais il s'est littéralement dépassé pendant les éliminatoires : déclassant les futurs membres du Temple de la renommée Grant Fuhr, Patrick Roy et Dominik Hasek, il a enregistré 16 victoires, 7 défaites, 3 blanchissages et une moyenne de 1,67, qui ont valu une première Coupe Stanley aux Stars de Dallas. « Eddie Belfour était incroyable cette année-là, affirme son coéquipier Joe Nieuwendyk. Il nous a inspirés et s'est montré à la hauteur du début à la fin des éliminatoires. »

Mais au cours de sa carrière, Belfour s'est aussi distingué par son caractère bouillant. « Vaut mieux ne pas faire l'imbécile devant son filet, disait Jack Davison. Autrement, vous allez avoir affaire à lui. » Ce que le gardien n'a jamais démenti. « Je pense que je suis un gardien agressif, dit-il. Je participe pleinement au match. Si un joueur me bloque la vue, ça ne me dérange pas de lui faire comprendre qu'il faut qu'il se tire de là. »

Le tempérament de Belfour lui a même valu quelques démêlés avec la justice. En 2000, il s'est non seulement battu avec un gardien de sécurité d'un hôtel de Dallas, mais il a résisté à son arrestation. Et pendant la saison 2006-07, il a été impliqué dans des incidents qui ont exigé l'intervention de la police dans un bar de Long Island et un autre de Miami.

Cela dit, ceux qui connaissent bien Belfour soutiennent qu'il est mal compris. « Beaucoup de gens ne voient pas l'homme affable sous le masque du gardien, a déclaré le légendaire gardien de but Vladislav Tretiak, qui a été le mentor de Belfour à Chicago et qui est toujours son ami. C'est vrai que parfois il n'y va pas avec le dos de la cuiller et qu'il ne porte pas les médias dans son cœur, mais ça, c'est à la surface. Dans le fond, Eddie est la gentillesse même. »

En 2002, Belfour a signé un contrat de trois ans avec Toronto. Avec ses dix blanchissages en 2003-04, il a établi un record personnel et s'est hissé au deuxième rang des meilleurs blanchisseurs de la LNH, surclassant l'idole de son enfance Tony Esposito, de même que Glenn Hall et Jacques Plante.

Le contrat de Belfour avec les Maple Leafs n'a pas été prolongé à la fin de la saison 2005-06. À la veille de son 42e anniversaire et malgré des maux de dos chroniques, l'ancien triathlète n'a pas renoncé à jouer pour autant et il a joint les Panthers de la Floride.

Belfour admet qu'avec l'âge il songe plus souvent qu'avant à ce qu'on dira de lui quand sa carrière sera terminée. Et c'est de la fierté qu'il ressent alors. « Parfois, je tombe sur des statistiques, des exploits que j'ai faits dit-il. En vieillissant, je comprends mieux cet aspect du hockey. Mais je voudrais surtout qu'on se souvienne de moi comme d'un compétiteur féroce et d'un bon coéquipier. »

– AP

Ed Belfour, gardien de but
Né le 21 avril 1965

Carrière au sein de la LNH :	1988…
Équipes :	Chicago, San Jose, Dallas, Toronto, Floride
Fiche (saisons régulières) :	484 victoires, 320 défaites, 111 matchs nuls ; moyenne des buts alloués de 2,50 ; 76 blanchissages en 963 matchs
Fiche (séries éliminatoires) :	88 victoires, 68 défaites ; moyenne des buts alloués de 2,17 ; 14 blanchissages en 161 matchs
Trophées :	
• Calder	1 (1991)
• Vézina	2 (1991, 1993)
• Jennings	4 (1991, 1993, 1995, 1999)
Nominations – 1re équipe d'étoiles :	2 (1991, 1993)
Nominations – 2e équipe d'étoiles :	1 (1995)
Coupes Stanley :	1
Ce qu'on dira de lui :	A fait partie de l'élite des gardiens de but jusque dans la quarantaine.

54

Yvan Cournoyer

Train d'enfer

Quand on était capitaine des Canadiens de Montréal dans les années 70, il fallait avoir les épaules assez larges pour supporter le poids d'attentes quasi démesurées. Malgré son 1 m 70, Yvon Cournoyer avait assez de talent et de courage pour s'acquitter de cette tâche avec brio.

« Pendant toute ma jeunesse, j'ai rêvé de jouer pour les Canadiens, dit Cournoyer, qui, en 15 ans de carrière, a récolté non moins de 10 Coupes Stanley. Mais quand tu faisais partie de cette équipe, il ne fallait jamais que tu te relâches, sinon, tu te faisais remplacer rapidement. Il fallait qu'on soit les meilleurs et rien d'autre. »

Surnommé « Roadrunner » en raison de son extrême rapidité, Cournoyer a entrepris sa carrière chez les Canadiens en 1964-65, après un passage obligé chez les Canadiens juniors. Il n'a pas tardé à être connu pour le lancer du poignet à la fois puissant et rapide qu'il avait mis au point en s'entraînant avec une rondelle de plomb de deux kilos.

Pendant quelques saisons, il n'a surtout participé qu'aux attaques à cinq, car l'équipe de Montréal était déjà très bien pourvue en joueurs doués. Sa carrière a vraiment pris son essor après l'expansion de 1967. En 76 matchs en 1968-69, il a inscrit 43 buts et 87 points, son meilleur pointage en carrière, et a aidé le Tricolore à récolter sa quatrième Coupe Stanley en cinq saisons.

« Comme dans tous les grands clubs de hockey, il y avait une atmosphère presque familiale chez les Canadiens, avait déclaré le natif de Drummondville, au Québec, à *The Hockey News*, en 1979. C'est en grande partie ce qui explique notre succès. « On était très proches les uns des autres. Il n'y avait pas de barrière entre anglophones et francophones. Quand on perdait, on perdait ensemble. Quand on gagnait, on gagnait ensemble. »

Bien que Cournoyer ait toujours ambitionné d'être un joueur complet, il était reconnu pour son attaque. Pendant la saison régulière de 1971-72, il a marqué 47 buts, son meilleur score en carrière. La même année, durant la Série du siècle, il a compté le but gagnant et le but égalisateur des deuxième et huitième matchs, respectivement. À la fin du tournoi, il avait accumulé cinq points, dont trois buts, en huit matchs.

Cournoyer a poursuivi sur cette lancée l'année suivante, en offrant une performance exceptionnelle. En 67 matchs en saison régulière, il a inscrit 79 points, 40 buts et un différentiel de +50. Ses 15 buts et 25 points en 17 rencontres éliminatoires lui ont valu une sixième Coupe Stanley et le trophée Conn Smythe.

Bien que fier de ces récompenses, Cournoyer s'est vu décerner son plus grand honneur en 1975. Alors âgé de 32 ans, il entamait tranquillement le dernier chapitre de sa carrière lorsque, d'un commun accord, ses coéquipiers l'ont élu capitaine de l'équipe. Il a alors pris le relais de Henri Richard. « Je n'avais jamais pensé devenir capitaine des Canadiens, dit-il. C'était un honneur de succéder à des joueurs comme Henri Richard et Jean Béliveau. »

> « Il n'y avait pas de barrière entre anglophones et francophones. Quand on perdait, on perdait ensemble. Quand on gagnait, on gagnait ensemble. »
>
> – Yvan Cournoyer

La saison suivante, Cournoyer a commencé à souffrir de maux de dos. Fidèles à leur habitude, les médias montréalais n'ont pas manqué de questionner sa performance. Malgré la douleur, le joueur a réussi à compter 53 points en 60 matchs. Mais il a dû se faire opérer au printemps 1977, ratant du même coup les éliminatoires et la victoire des Canadiens.

Cournoyer est revenu au jeu en 1977-78. En dépit de douleurs atroces, il a trouvé le moyen d'inscrire 53 points, dont 24 buts, pendant la saison régulière, et 11 points, dont 7 buts, durant les éliminatoires, aidant les Canadiens à rafler leur troisième Coupe Stanley d'affilée.

Malgré son intention de continuer à jouer pour le Tricolore, Cournoyer a été forcé de prendre sa retraite après 15 matchs et une autre intervention chirurgicale en 1978-79. « Ç'a été tout un choc d'apprendre que j'avais une grave lésion sur un disque de la colonne vertébrale, dit Cournoyer. Je ne m'empêchais pas de jouer, car je pensais que ce n'était rien d'autre qu'un muscle étiré. Mais comme la douleur était constante, on m'a fait un nouvel examen. Et c'est à ce moment-là qu'on a vu à quel point c'était sérieux. »

Du jour au lendemain, le joueur de 35 ans a dû abandonner un sport qu'il adorait. « J'étais très malheureux de prendre ma retraite, dit-il. Le hockey avait occupé la plus grande partie de ma vie. Je trouvais que ça finissait beaucoup trop tôt. » Malgré cette fin prématurée, la carrière de Cournoyer comptait assez d'exploits pour qu'il soit admis au Temple de la renommée en 1982.

Le joueur n'avait pas demandé à avoir une carrière aussi exigeante. Mais en dépassant les attentes qu'on a fait peser sur lui comme sur les autres les joueurs des Canadiens de Montréal, il s'est assuré une place dans l'histoire de cette équipe légendaire.

« Les joueurs des Canadiens faisaient face à beaucoup de pression, dit Cournoyer. Mais en fin de compte, j'ai apprécié cette pression. Je pense qu'elle m'a façonné sur le plan humain. »

– AP

Yvan Cournoyer, ailier droit*
Né le 22 novembre 1943

Carrière au sein de la LNH :	1963-79
Équipes :	Montréal
Fiche (saisons régulières) :	374 buts, 399 passes, 773 points en 774 matchs
Fiche (séries éliminatoires) :	51 buts, 48 passes, 99 points en 102 matchs
Trophées :	
• Conn Smythe	1 (1973)
Nominations – 1re équipe d'étoiles :	0
Nominations – 2e équipe d'étoiles :	4 (1969, 1971, 1972, 1973)
Coupes Stanley :	8
Ce qu'on dira de lui :	Personne n'était plus rapide que ce joueur qui s'est donné corps et âme.

Ces statistiques ne tiennent pas compte de la période précédant l'expansion.

55

Glenn Anderson

Présent quand ça comptait

Les Jeux olympiques de 1980 ont permis au monde entier de savoir de quel bois se chauffaient les hockeyeurs américains. Cet événement a également marqué un tournant dans la carrière de la future star Glenn Anderson. Membre de la sixième équipe au classement, le natif de Vancouver a alors appris ce que c'était de perdre.

« Tu ne peux pas apprécier la victoire tant que tu n'as pas connu la défaite, dit Anderson. Et comme j'ai trouvé qu'elle avait un goût amer, je me suis juré de tout faire en mon possible pour ne plus perdre. Dès que je suis devenu joueur professionnel, j'ai joué chaque match comme si c'était le dernier. » Il semble que cette philosophie lui ait réussi puisqu'il a gagné six Coupes Stanley avec les Oilers et les Rangers.

Anderson était l'un des rares joueurs de sa génération à apprécier les bienfaits de l'entraînement. « Dans les années 80, dit-il, les sportifs professionnels étaient très différents des athlètes olympiques. C'est en participant aux Olympiques que j'ai appris à devenir un athlète. Il fallait jouer et s'entraîner de six à huit heures par jour. Alors, la première fois que je suis entré dans le vestiaire d'une équipe de hockey professionnel, je me suis dit que ce n'était pas sérieux. C'était le jour et la nuit par rapport à ce que j'avais vécu. »

La mise en forme n'était pas le seul aspect qui distinguait Anderson de ses confrères. Il était d'une espèce à part dans la LNH. Déjà à l'époque où il jouait pour l'Université de Denver, il avait sa propre vision des choses. « Je ne visais pas la LNH à tout prix, dit

Anderson. À l'Université de Denver, j'avais été bien encadré et j'avais eu le père (David) Bauer (pionnier du hockey) comme mentor. Ça avait élargi mes horizons. En fait, je voulais jouer sur la scène internationale bien avant de jouer pour la LNH. »

Sélectionné au 69ᵉ rang du repêchage de 1979 par Edmonton, Anderson était l'un des Oilers les plus hauts en couleur. Certains l'ont critiqué pour ses excentricités, mais lui, il a toujours été bien dans sa peau. « Je sais qui je suis, dit-il. Je l'ai appris pendant les camps de leadership. On nous séparait en différentes catégories. Il n'y avait pas beaucoup de joueurs dans la mienne. Et c'étaient surtout des gardiens de but. »

Avec les Oilers, Anderson a atteint le cap des 50 points à 2 reprises et a connu 3 saisons de plus de 100 points. Mais il s'est littéralement dépassé pendant les éliminatoires, où il a accumulé au total 17 buts gagnants et 5 buts en surtemps. Dans cette dernière catégorie, seuls Joe Sakic et Maurice Richard ont fait mieux que lui.

Mais, fidèle à lui-même, Anderson se souvient davantage de ses défaites et particulièrement du « Miracle de la rue Manchester », soit le célèbre match des séries éliminatoires de 1982 opposant les Oilers aux Kings de Los Angeles. Ce soir-là, les Oilers menaient par la marque de 5 à 0 au début de la troisième période quand les Kings ont fait une remontée spectaculaire pour finalement remporter le match par la marque de 6 à 5, grâce à un but de Darryl Evans compté par-dessus l'épaule de Grant Fuhr.

« Je n'oublierai jamais cet exploit, dit Anderson. Ç'a confirmé ce que je pensais du succès : il faut perdre avant de savoir gagner. »

> « Il n'y avait pas beaucoup de joueurs dans ma catégorie. Et c'étaient surtout des gardiens de but. »
>
> – Glenn Anderson

Anderson a passé 11 ans avec les Oilers avant d'être cédé aux Maple Leafs de Toronto avec Grant Fuhr. Habitué de jouer au sein d'une équipe gagnante, il a dû changer son fusil d'épaule. « Je suis passé d'un des meilleurs clubs de la LNH à l'un des pires, dit-il. À Toronto, certains joueurs importants ont dû être éliminés. On les a d'abord incités à changer, mais quand c'était impossible, il a fallu s'en débarrasser. Pour gagner, il faut que tout le monde mette la main à la pâte. »

Anderson a joué un peu plus de deux saisons avec les Maple Leafs et il les a aidés à se rendre aux éliminatoires de 1993. Mais l'équipe torontoise a raté la finale de la Coupe Stanley de peu.

Échangé contre un joueur des Rangers en 1994, Anderson est arrivé juste à temps à New York pour aider sa nouvelle équipe à remporter sa première Coupe Stanley en 54 ans.

« Ç'a été un bon échange pour moi, dit-il en riant. En 1993, à Toronto, j'avais eu droit à une bague et à une parade parce qu'on était les champions de la division. L'année suivante, j'ai gagné la Coupe et j'ai participé à un défilé dans Manhattan. Deux parades, deux bagues et une Coupe en deux ans, c'est pas mal ! »

Anderson a terminé sa carrière dans la LNH après deux courts mandats à Saint-Louis et un bref retour à Edmonton. Il a également réalisé son rêve de voyager. Avant de prendre sa retraite en 1997, il a joué pour la Finlande, l'Allemagne, la Suisse et l'Italie.

« Quand un joueur signait un contrat avec les Oilers d'Edmonton, le coach Glen Sather lui faisait passer un test pour connaître ses buts et ses ambitions, se rappelle Anderson. La plupart des joueurs voulaient gagner la Coupe Stanley, tandis que moi, j'aspirais seulement à jouer au hockey et à voir du pays. »

– AP

Glenn Anderson, ailier gauche
Né le 2 octobre 1960

Carrière au sein de la LNH :	1980-96
Équipes :	Edmonton, Toronto, Rangers de NY, Saint-Louis
Fiche (saisons régulières) :	498 buts, 601 passes, 1 099 points en 1 129 matchs
Fiche (séries éliminatoires) :	93 buts, 121 passes, 214 points en 225 matchs
Nominations – 1re équipe d'étoiles :	0
Nominations – 2e équipe d'étoiles :	0
Coupes Stanley :	6
Ce qu'on dira de lui :	Il réservait ses meilleures performances pour les éliminatoires.

56

Denis Savard

Le cyclone

Denis Savard a commencé à jouer au hockey dans le quartier ouvrier de Verdun, où ses parents tenaient un dépanneur, près de la patinoire qui porte maintenant son nom. Il partageait sa passion avec ses deux meilleurs amis, Denis Cyr et Denis Tremblay. Fait assez étrange, les « Trois Denis », comme on les appelait à l'époque, étaient nés le même jour : le 4 février 1961. Ils ont fait les beaux jours du hockey mineur avant de devenir célèbres auprès des fans des Canadiens juniors de Verdun de la LHJMQ.

Si le trio rêvait d'entrer chez les Canadiens de Montréal, seul Savard avait suffisamment de talent pour y aspirer vraiment. Mais lors du repêchage de 1980, Irving Grundman, le DG des Canadiens, lui a préféré Doug Wickenheiser, un puissant joueur avant des Pats de Regina de l'AMH, qui faisait 8 cm et 18 kg de plus que Savard.

C'est Chicago qui a mis le grappin sur Savard cette année-là, en le sélectionnant au troisième rang. « Je saurai montrer que je suis meilleur que Wickenheiser », a déclaré le jeune homme après le repêchage, faisant preuve d'une grande assurance et de beaucoup d'audace.

À l'époque, les Canadiens avaient de la difficulté à renouveler leur bassin de vedettes francophones, et ils ont été vertement critiqués pour leur choix. Savard leur a donné encore plus de raisons de se mordre les doigts quand, lors de la première rencontre entre Chicago et Montréal, il a compté un but, fait deux passes et été élu première étoile du match, tandis que Wickenheiser a passé le plus clair de son temps sur le banc.

Pendant les 17 années qu'a duré sa carrière, Savard a émerveillé les fans grâce à son magistral coup de patin. Il savait se faufiler rapidement entre ses adversaires, la rondelle littéralement scotchée à son bâton. Et comme il était toujours au bon endroit au bon moment, il a compté de nombreux buts spectaculaires, de véritables œuvres d'art, en fait.

« Je n'essayais pas d'impressionner la foule, dit Savard. C'était comme ça que je jouais. Je tentais de modifier sans cesse mon jeu pour ne pas que mes adversaires s'y habituent, pour les prendre par surprise. Et j'avais toujours comme règle de protéger la rondelle. C'est plus facile pour un adversaire de te voler la rondelle si tu lui fais face. C'est pour cette raison que je tournoyais beaucoup. »

À Chicago, de nombreux fans ont attribué à Savard l'invention du « Spin-o-rama ». Mais en fait, c'est *Serge* Savard (aucun lien de parenté avec Denis) qui a créé ce mouvement. Pour éviter les mises en échec, les deux Savard avaient l'habitude de pivoter rapidement sur eux-mêmes tout en conservant la rondelle. Mais le jeune Savard le faisait à une vitesse fulgurante pour la plus grande joie de l'assistance.

> « C'est plus facile pour un adversaire de te voler la rondelle si tu lui fais face. C'est pour cette raison que je tournoyais beaucoup. »
>
> **– Denis Savard**

Avant de partir pour son premier camp d'entraînement à Chicago, Savard a promis à son père d'entrer dans l'équipe. Le jeune joueur qui ne parlait pratiquement pas anglais ne faisait pas le fanfaron. C'était sa façon de composer avec la pression. « Mes parents ont longtemps travaillé de 14 à 16 heures par jour, dit Savard. Je ne voulais pas les décevoir. Puisque mes deux frères aînés (André et Luc) n'avaient pas réussi à entrer dans la LNH, je me disais que c'était à moi de le faire. »

Savard y est très bien parvenu. Il était l'élément clé d'une équipe parfois géniale, mais malheureusement pas aussi dynamique et explosive que les Oilers d'Edmonton, qui ont dominé les années 80. La chance a cependant tourné pour Savard quand le DG du Tricolore (l'autre Savard) a cédé Chris Chelios pour l'acquérir en 1990.

En 1993, grâce à une dizaine de victoires en surtemps et à l'extraordinaire performance du gardien de but Patrick Roy, le Tricolore a gagné la Coupe Stanley. Savard, qui s'était blessé le pied durant la deuxième ronde des éliminatoires, n'a pas pu participer à la finale, mais dès que le capitaine Guy Carbonneau a accepté la Coupe, il l'a aussitôt passée à Savard, qui était pratiquement devenu l'adjoint de l'entraîneur Jacques Demers.

Après cette saison, Savard a joint le malheureux Lightning de Tampa Bay, avec qui il a joué un peu plus d'un an. Puis, il est allé terminer sa carrière là où il l'avait commencée, à Chicago. Il a pris sa retraite comme joueur en 1997.

Admis au Temple de la renommée en 2000, Savard n'a jamais passé le cap des 50 buts ni gagné de trophée ni même fait partie de la première Équipe d'étoiles. Mais il jouait avec tellement de grâce qu'il reste inoubliable.

« Parfois, je me demande ce qui me serait arrivé si Montréal m'avait recruté en 1980, dit Savard. C'était une équipe formidable à l'époque, et j'aurais probablement joué avec Guy (Lafleur). Mais les choses n'ont pas trop mal tourné pour moi à Chicago. »

– KC

Denis Savard, centre
Né le 4 février 1961

Carrière au sein de la LNH :	1980-97
Équipes :	Chicago, Montréal, Tampa Bay
Fiche (saisons régulières) :	473 buts, 865 passes, 1 338 points en 1 196 matchs
Fiche (séries éliminatoires) :	66 buts, 109 passes, 175 points en 169 matchs
Nominations – 1re équipe d'étoiles :	0
Nominations – 2e équipe d'étoiles :	1 (1983)
Coupes Stanley :	1
Ce qu'on dira de lui :	Son coup de patin, son maniement du bâton et ses stratégies demeurent inégalés.

57

Sidney Crosby

Le visage de l'avenir

À l'instar de Wayne Gretzky, Sidney Crosby était un jeune prodige du hockey. Ce sport a d'ailleurs occupé la plus grande partie de sa vie jusqu'à maintenant. Ça explique sans doute pourquoi il traite chaque match comme si c'était la chose la plus importante au monde.

« Mes parents m'ont appris à me donner pleinement dans tout ce que je fais, dit Crosby, dont le père, Troy, est un ancien prospect des Canadiens. Ils m'ont appris à ne pas "tourner les coins ronds". C'est ce que je m'efforce de faire. Il faut dire aussi que j'ai eu de la chance. » De la chance... C'est une façon de voir les choses.

Avant d'entrer dans la LNH en 2005, la future légende des Penguins de Pittsburgh avait tout de même accompli quelques exploits. Sélectionné au premier rang du repêchage de la LHJMQ par l'Océanic de Rimouski en 2003, Crosby a accumulé 303 points et 183 passes en 2 saisons, et a été élu recrue de l'année de la Ligue canadienne de hockey en 2004 et joueur de l'année en 2004 et en 2005.

À la veille du repêchage de 2005, on a fait beaucoup de bruit autour du jeune Crosby et du résultat de la loterie qui allait permettre aux Penguins de le sélectionner avant tous les autres clubs de la LNH. Même Wayne Gretzky a dit qu'il était probablement le seul joueur de la relève à pouvoir battre ses propres records. Le natif de Cole Harbour, en Nouvelle-Écosse, était d'ailleurs le dernier en lice dans la course au titre de « prochain Gretzky ». Mais il ne s'en est pas trop fait avec tout ce cirque médiatique, car depuis l'âge de sept ans il était régulièrement sous les feux de la rampe.

En 2005-06, Crosby a eu la chance de jouer avec le propriétaire des Penguins, le légendaire Mario Lemieux, et a fini la saison avec 63 passes et 102 points en 81 matchs. Cela fait de lui le plus jeune joueur de la LNH à avoir atteint le plateau des 100 points lors de sa première saison.

« Ma plus grande difficulté, a dit Crosby à l'été 2006, ç'a été de m'adapter au rythme rapide du jeu. J'ai joué avec des gars qui pratiquent ce sport depuis longtemps et qui sont très intelligents et très compétents. Il fallait que je prenne des décisions instantanées, il fallait que je sois vite sur mes patins. »

Outre les honneurs, Crosby a récolté 110 minutes de pénalité au cours de sa première saison, ce qui donne à penser qu'il ne craint pas les contacts physiques. « Il se distingue non seulement par le talent, mais par son esprit compétitif, dit le vétéran Brendan Shanahan. Il y a beaucoup de joueurs doués, mais l'avantage de Sidney, c'est qu'il a un deuxième, un troisième et un quatrième souffle. Il ne renonce jamais. Il a le même type de combativité que Wayne Gretzky et Mario Lemieux. »

Alexander Ovechkin, le phénomène de 19 ans des Capitals de Washington, lui a peut-être ravi le titre de recrue de l'année en 2005-06, mais au milieu de la saison suivante, un sondage mené par *The Hockey News* a classé Crosby au premier rang des meilleurs joueurs de la ligue. Cette année-là, Crosby a aussi permis aux Penguins de participer à leurs premières séries éliminatoires depuis 2001 et il a récolté, coup sur coup, les trophées Art Ross, Pearson et Hart.

> **« Il a le même type de combativité que Wayne Gretzky et Mario Lemieux. »**
>
> **– Brendan Shanahan**

« Sidney a connu une formidable ascension au sein de la LNH, dit le DG des Penguins, Ray Shero. Il finit toujours par surprendre. Il s'arrange toujours pour faire quelque chose de nouveau là où on pensait avoir tout vu. Chaque fois, Eddie Johnston (conseiller principal des opérations hockey des Penguins) et moi, on n'en revient pas. Le regarder jouer pendant un match, c'est une chose, mais le regarder s'exercer, ça dépasse l'imagination. Vous devriez le voir pendant les séances d'entraînement, il est incroyable. Il se lance constamment des défis. »

« Crosby est un véritable phénomène, ajoute Martin St-Louis, l'étoile du Lightning de Tampa Bay. Il a énormément de maturité pour son âge. On ne dirait jamais qu'il n'a que 19 ans quand on le regarde patiner, contrôler le jeu et provoquer les choses. C'est le genre de joueur autour duquel on veut bâtir une équipe. »

Avec des débuts aussi éblouissants, Crosby a créé beaucoup d'attentes. Tous les regards seront tournés vers lui au cours des prochaines années. Mais comme c'est souvent le cas des grands joueurs, il est modeste et ne plie pas sous le poids de la pression. « J'ai mes propres attentes, dit-il. Je crois que mes critères sont assez élevés. Je ne sais pas si j'ai répondu aux attentes des autres. C'est à eux de décider. »

– AP

Sidney Crosby, centre

Né le 7 août 1987

Carrière au sein de la LNH :	2005…
Équipes :	Pittsburgh
Fiche (saisons régulières) :	75 buts, 147 passes, 222 points en 160 matchs
Fiche (séries éliminatoires) :	3 buts, 2 passes, 5 points en 5 matchs
Trophées :	
• Art Ross	1 (2007)
• Hart	1 (2007)
• Pearson	1 (2007)
Nominations – 1ʳᵉ équipe d'étoiles :	1
Nominations – 2ᵉ équipe d'étoiles :	0
Coupes Stanley :	0
Ce qu'on dira de lui :	Le « Prochain » est arrivé. Alléluia !

58

Darryl Sittler

Le match à 10 points

Troisième d'une famille de huit enfants, Darryl Sittler a été amené assez tôt à prendre ses responsabilités. Ça tombait bien, car il a eu besoin de la moindre parcelle de sa grande sagesse pour occuper le poste de capitaine des Maple Leafs de Toronto sous l'égide du célèbre et irascible Harold Ballard.

« J'étais pas mal mature quand j'étais enfant, dit Sittler, qui détient encore le record des buts et des points chez les Maple Leafs (Mats Sundin devrait le battre en 2007-08). J'ai acquis une bonne éthique de travail grâce à mon milieu familial. Pour différentes raisons, ce n'était pas évident de jouer à Toronto, mais le fait d'être équilibré m'a facilité les choses. »

Sélectionné au huitième rang du repêchage de 1970 par les Maple Leafs de Toronto, Sittler a mis un certain temps à développer ses habiletés, notamment à cause d'une fracture au poignet. Mais il a pris son essor en 1972-73, en inscrivant 77 points, dont 48 passes, en 78 matchs. En 1973-74, il a poursuivi sur sa lancée en comptant 84 points, dont 38 buts, et en permettant aux Maple Leafs de se rendre aux éliminatoires après 8 ans d'absence.

Après le départ de Dave Keon pour l'Association mondiale de hockey en 1975, Sittler a été nommé capitaine de l'équipe. « Je n'ai pas pris ce rôle à la légère, dit-il. J'étais très conscient de ce qu'il signifiait. C'est l'un des plus grands honneurs qu'on m'ait rendus. »

Sittler s'est aussitôt montré à la hauteur de son titre. Pendant la saison régulière de 1975-76, il a accumulé 100 points, dont 41 buts, et il a compté non moins de 5 buts en un seul match contre les Flyers pendant les éliminatoires.

Darryl Sittler, centre
Né le 18 septemre 1950

Carrière au sein de la LNH :	1970-85
Équipes :	Toronto, Philadelphie, Detroit
Fiche (saisons régulières) :	484 buts, 637 passes, 1 121 points en 1 096 matchs
Fiche (séries éliminatoires) :	29 buts, 45 passes, 74 points en 76 matchs
Nominations – 1re équipe d'étoiles :	0
Nominations – 2e équipe d'étoiles :	1 (1978)
Coupes Stanley :	0
Ce qu'on dira de lui :	La légende des Maple Leafs qui a établi un record en inscrivant 10 points en un seul match.

Mais c'est le 7 février 1976 que Sittler a accompli son exploit le plus remarquable. Ce soir-là, il a pratiquement anéanti les Bruins de Boston à lui seul en marquant 6 buts et en faisant 4 passes, pour un score final de 11 à 4. Comme ce match était télédiffusé par Radio-Canada, Sittler a acquis le statut de superstar d'un océan à l'autre. À ce jour, aucun joueur n'a d'ailleurs réussi à battre ce record de 10 points au cours d'un match. « Les gens m'en parlent encore, dit Sittler. Je n'ai jamais pu expliquer ma performance de ce soir-là. Mais j'en suis heureux, c'est certain. »

L'étoile de Sittler a continué de briller pendant un bout de temps. En 1976, lors du premier tournoi de la Coupe Canada, il a marqué en surtemps un point qui a assuré la victoire à l'Équipe Canada. Suivant le conseil de l'entraîneur adjoint Don Cherry, il a foncé à toute allure dans la zone de l'équipe tchèque et feint un tir qui a fait sortir le gardien Vladimir Dzurilla de son but. Il a alors contourné le gardien pour aller lancer la rondelle dans un filet vide. « C'est évidemment un fait saillant de ma carrière, dit Sittler. Compter un but dans la LNH, c'est bien, mais compter un but pour son pays procure un sentiment incroyable. »

Avec Sittler comme capitaine, les Maple Leafs ne cessaient de s'améliorer. Ainsi, en 1978, ils ont fait mordre la poussière aux Islanders de New York en quart de finale, avant d'être éliminés par les Canadiens de Montréal en demi-finale. Mais le retour de Punch Imlach à Toronto, grâce aux bons soins de Ballard, a renversé la vapeur.

> **«Compter un but dans la LNH, c'est bien, mais compter un but pour son pays procure un sentiment incroyable.»**
>
> **– Darryl Sittler**

Sittler a vu ses coéquipiers partir l'un après l'autre, le coup le plus dur étant l'échange de son meilleur ami, Lanny McDonald, contre un joueur du Colorado en décembre 1979. Le capitaine a réagi en déchirant le «C» de son maillot, déplorant ouvertement le démantèlement d'une équipe prometteuse.

«C'était une lutte de pouvoir, dit Sittler. Imlach voulait me casser, tandis que moi, je voulais rester pour aider l'équipe à bien jouer. Dire que ç'a mis ma volonté à dure épreuve est un euphémisme. Au début, j'ai pensé que je pourrais rester à Toronto. Mais finalement, ça n'a pas marché.»

Épuisé de lutter contre Ballard, Sittler a informé le club de Toronto qu'il renonçait à sa clause de non-échange. Il a été cédé à Philadelphie au milieu de la saison 1981-82. Dès sa première saison complète avec les Flyers, il a compté 83 points et participé au Match des étoiles. Puis, contre toute attente, il a été échangé contre deux joueurs des Red Wings de Detroit en 1984. Il a pris sa retraite un an plus tard.

«Je n'avais pas prévu que les choses finiraient ainsi, dit Sittler, qui a enregistré 484 buts et 1 121 points en 1 096 matchs. Mais j'ai quand même eu une carrière très valorisante. «Peu de gens ont la chance de vivre ce que j'ai vécu. Il y a eu un temps où ce n'était pas facile pour moi ni pour ma famille, c'est certain. Mais dans l'ensemble, j'ai eu beaucoup plus de bons moments. Et pour rien au monde je n'aurais voulu jouer ailleurs qu'à Toronto, une ville où on a le hockey à cœur.»

– AP

59

Borje Salming

Le Suédois devenu star

Lorsque Borje Salming a débarqué en Amérique du Nord en 1973 pour entamer sa carrière à la LNH, il était aussi enthousiaste qu'inquiet. « Je réalise un rêve en venant jouer ici, avait-il déclaré à l'époque, mais je ne sais pas si je vais pouvoir m'adapter au style agressif de la LNH. Certains m'ont dit que je finirais estropié. »

Le joueur de 22 ans, qui arrivait d'un pays où l'on avait longtemps interdit les mises en échec, n'avait pas tout à fait tort d'avoir peur. Au cours des 17 années qu'il a passées dans la LNH, il a souffert de nombreuses blessures, contusions, fractures, fêlures et déchirures, notamment une profonde entaille sur le visage qui a nécessité 300 points de suture.

Mais rien de tout cela n'a empêché Salming d'être admis au Temple de la renommée en 1996, d'ouvrir la voie de la LNH aux joueurs européens de la LNH et d'être un héros national dans sa Suède natale. Né dans la ville minière de Kiruna, Salming a perdu son père dans un tragique accident quand il était encore très jeune. Il ne lui restait plus que sa mère, son frère, ses deux sœurs et le hockey qu'il aimait passionnément.

« J'ai commencé à jouer au hockey à l'âge de sept ans et j'ai tout de suite pris ça très au sérieux, a dit Salming en 1976. Rien d'autre ne m'intéressait. J'essayais tant bien que mal d'être un bon élève, mais je n'y arrivais pas parce que la plupart du temps j'étais épuisé à force de jouer. Quand j'ai été sélectionné pour faire partie de l'équipe nationale, j'étais obligé de travailler comme machiniste pour gagner ma vie. Pour vivre du hockey, il fallait que j'entre dans la LNH. »

Salming a été découvert par le recruteur des Maple Leafs, Gerry McNamara, qui avait été envoyé en Suède pour évaluer le gardien de but Kurt Larsson. En fin de compte, McNamara a été beaucoup plus impressionné par Salming et son futur coéquipier, Inge Hammarstrom, que par Larsson. Il a bientôt offert un contrat à celui que les médias ont comparé à Bobby Orr.

> « Aucun joueur n'en fait autant que Borje. »
>
> – Lanny McDonald

Malgré ses craintes du début, Salming s'est rapidement adapté à la LNH. Dès son premier match avec les Maple Leafs, il a été élu première étoile, et il a terminé sa première saison avec une fiche respectable : 34 passes et 39 points en 76 matchs. Son attaque n'était cependant pas aussi au point que son jeu défensif.

« Salming intercepte les tirs mieux que quiconque, et quand il quitte la ligne bleue, il y revient plus rapidement que beaucoup d'autres, a dit l'entraîneur Red Kelly des Maple Leafs à l'époque. Il manie habilement son bâton et il utilise son pied comme un bâton supplémentaire. Il n'a pas besoin de frapper ses adversaires, car il a beaucoup d'autres tours dans son sac. »

Au même titre que les autres membres de ce qu'on a appelé l'« invasion européenne », Salming s'est fait insulter par les fans et les joueurs xénophobes. Mais si on l'a traité de « poule mouillée suédoise » dans les premières années, il a fini par imposer le respect. « Aucun joueur n'en fait autant que Borje, a dit Lanny McDonald en 1977. C'est un joueur extrêmement précieux pour nous. »

Salming n'a participé qu'à 81 rencontres éliminatoires, car malheureusement il jouait dans une équipe qui ne pouvait pas vraiment prétendre à la Coupe Stanley. Mais grâce à sa grande résistance – il jouait plus de 30 minutes par match – et à sa solide performance aux deux extrémités de la patinoire en saison régulière, il a réussi, pendant 7 années consécutives, à accumuler au moins 40 passes et 56 points par saison. Ce n'est pas pour rien qu'il est devenu une légende tant dans son pays d'origine que dans son pays d'adoption.

Souvent blessé, Salming tolérait beaucoup plus facilement la douleur physique que la souffrance morale que lui causaient le déclin et l'inertie des Maple Leafs. « Il y a eu des années où j'ai dû me retirer du jeu à cause des blessures, dit-il. Je n'avais pas le choix, mais ça m'enrageait de voir mon équipe perdre sans pouvoir rien faire pour l'aider. »

En 1986, Salming s'est trouvé sous les feux de la rampe bien malgré lui. Un peu plus tôt cette année-là, la revue *Sports Illustrated* avait déclaré que certains membres des Oilers d'Edmonton consommaient de la drogue. Faisant référence à cette allégation lors d'une entrevue accordée un peu plus tard au *Toronto Star*, Salming a révélé qu'il avait lui-même pris de la cocaïne cinq ans plus tôt. La LNH a décidé de suspendre le joueur pendant toute la saison 1986-87, mais l'a réadmis après huit matchs. « C'était une peine exemplaire, dit Salming. J'ai été puni pour mon honnêteté, mais je ne regrette rien et je n'en veux pas à John Ziegler (président de la LNH à l'époque). »

Après 16 saisons avec les Maple Leafs, Salming a joué un an avec les Red Wings de Detroit, puis un peu plus de deux saisons en Suède avant de raccrocher ses patins pour de bon en 1993.

En plus d'être le premier Suédois admis au Temple de la Renommée, celui que ses co-équipiers surnommaient le « King » a été finaliste pour le trophée Norris à deux reprises. « Je ne crois pas que je suis obligé de faire l'imbécile pour bien jouer, a-t-il déclaré un jour. Je joue dur, je ne recule pas, mais je ne cherche pas à me battre ou à frapper mes adversaires. En réalité, je fais tout ce que je peux pour aider mon équipe à gagner. »

– AP

Borje Salming, défenseur
Né le 17 avril 1951

Carrière au sein de la LNH :	1973-90
Équipes :	Toronto, Detroit
Fiche (saisons régulières) :	150 buts, 637 passes, 787 points en 1 148 matchs
Fiche (séries éliminatoires) :	12 buts, 37 passes, 49 points en 81 matchs
Nominations – 1re équipe d'étoiles :	1 (1977)
Nominations – 2e équipe d'étoiles :	5 (1975, 1976, 1978, 1979, 1980)
Coupes Stanley :	0
Ce qu'on dira de lui :	Ce Suédois d'origine est la première superstar européenne de la LNH.

60

Sergei Fedorov

L'homme à tout faire

Sergei Fedorov n'a pas eu une vie ordinaire. À peine sorti de l'adolescence, le Soviétique est passé à l'Ouest pour jouer librement au hockey. Il a été brièvement marié à une célébrité du monde du tennis. Sur la patinoire, il pouvait occuper avec brio toutes les positions, sauf celle de gardien. Et pendant presque dix ans, il a été un élément clé du succès des Red Wings de Detroit.

« Tout le monde me voit comme un joueur qui patine à 100 à l'heure et qui prend des décisions en un rien de temps, dit Fedorov, trois fois récipiendaire de la Coupe Stanley. Mais dans les faits, j'ai joué aux deux extrémités de la patinoire, et j'en suis très fier. C'est ainsi que j'ai développé mon esprit d'équipe et mes compétences de compteur. »

Dès sa première année avec les Red Wings, Fedorov a suivi le rythme de joueurs beaucoup plus chevronnés que lui et a terminé sa saison avec 31 buts et 79 points. En dehors de la patinoire, l'adaptation n'était cependant pas aussi facile. « C'était vraiment fantastique de jouer devant 20 000 personnes chaque soir, dit-il. Mais j'étais jeune, et mes amis et ma famille me manquaient énormément. J'ai été chanceux de tomber sur des gens qui se sont intéressés à moi et m'ont aidé. »

Fedorov a amélioré sa performance en 1991 et en 1992, et il a pris son plein essor en 1993-94, lorsqu'il a accumulé 120 points, dont 56 buts. Cette année-là, il a également remporté les trophées Hart et Selke, un exploit qu'aucun autre joueur de la LNH n'a accompli. « Comme j'ai beaucoup joué à cette époque, ça m'a permis de tester mes limites, dit-il. Je me suis rendu compte que lorsque j'étais réellement concentré, je pouvais voir le déroulement du jeu comme au ralenti. C'était une période fantastique pour moi. »

Durant les deux saisons suivantes, Fedorov a maintenu à peu près la même allure en comptant en moyenne plus d'un point par match, mais en 1996-97, il n'a pas joué autant et ses statistiques s'en sont ressenties. Le joueur en a tiré une précieuse leçon.

« Je ne savais pas pourquoi je jouais seulement 20, 21 minutes au lieu de 27, 28 minutes comme avant, dit-il. Ça me mettait en colère de voir mon temps de glace aussi réduit. J'avais cru que ma saison de 120 points était un repère. J'ai fini par en parler à des vétérans qui m'ont expliqué ce qui se passait. J'ai alors compris que je n'étais pas le seul bon joueur dans l'équipe. On formait une excellente équipe, et on visait un but collectif : gagner la Coupe Stanley. »

La leçon a porté fruit puisque, cette même année, Fedorov a aidé les Red Wings à remporter le championnat. « C'est comme si j'avais escaladé le mont Everest, dit-il. Mais en fait, ce qui s'était passé, c'est qu'on avait mieux fait notre boulot. On était plus concentrés, on avait plus d'expérience, on avait donné tout ce qu'on avait dans le ventre. Pourtant, tout ça, le coach nous le dit chaque soir. »

En 1997, à la suite d'un vilain conflit avec les Wings à propos de son contrat, Fedorov a accepté une offre des Hurricanes de la Caroline pour ensuite revenir sur sa décision et joindre à nouveau le club de Detroit qui, en fin de compte, lui a fait une proposition équivalente. Il s'est avéré qu'il a fait le bon choix puisqu'il a récolté deux autres Coupes, respectivement en 1998 et en 2002.

> « J'ai joué aux deux extrémités de la patinoire, et j'en suis très fier. C'est ainsi que j'ai développé mon esprit d'équipe et mes compétences de compteur. »
>
> – Sergei Fedorov

En 2003, Fedorov et la direction des Red Wings sont de nouveau arrivés à une impasse, et le joueur est passé aux mains des Mighty Ducks d'Anaheim. « Mes négociations n'ont jamais été simples, dit-il. Est-ce ma faute, celle de mes agents, celle de l'autre partie ? Je l'ignore. Tout ce que je sais, c'est que ç'a toujours été difficile.

« Finalement à Detroit, je n'ai pas obtenu ce que je voulais. C'était l'enfer dans ma vie privée, je n'arrivais pas à mettre mes idées en place, et mes agents ne m'aidaient pas suffisamment à mon goût. Alors je suis allé de l'avant. » (D'après une entrevue que Fedorov avait accordée à *The Hockey News* à cette époque, il était en plein divorce d'avec Anna Kournikova en 2003.)

Le joueur est resté à Anaheim un peu plus d'un an avant d'être cédé à Columbus en 2005. « J'étais emballé, dit Fedorov. Doug MacLean, le DG des Blue Jackets, me connaissait depuis mes premières années à Detroit, et j'avais déjà joué avec le coach de l'équipe, Gérard Gallant. J'étais content d'arriver dans cet environnement. Les perspectives étaient différentes. Et j'étais plus près de chez moi, à Detroit. »

Les exploits de Fedorov contredisent Don Cherry, qui soutient que les joueurs européens sont incapables de se donner pleinement pour remporter la Coupe.

« Peut-être qu'il a raison de dire qu'on ne sait pas ce que ça prend pour gagner quand on n'est pas né en Amérique du Nord, dit Fedorov. Mais comment pourrait-on le savoir ? Comme n'importe qui d'autre, il nous a fallu apprendre. Il a fallu qu'on perde pour savoir ce que ça prenait pour gagner. C'est un cheminement laborieux et souvent très douloureux. »

– AP

Sergei Fedorov, centre
Né le 13 janvier 1969

Carrière au sein de la LNH :	1990…
Équipes :	Detroit, Anaheim, Columbus
Fiche (saisons régulières) :	461 buts, 644 passes, 1 105 points en 1 128 matchs
Fiche (séries éliminatoires) :	50 buts, 113 passes, 163 points en 162 matchs
Trophées :	
• Hart	1 (1994)
• Selke	2 (1994, 1996)
Nominations – 1re équipe d'étoiles :	1 (1994)
Nominations – 2e équipe d'étoiles :	0
Coupes Stanley :	2
Ce qu'on dira de lui :	Joueur russe très polyvalent, il est le seul dans l'histoire de la LNH à avoir gagné les trophées Hart et Selke la même saison.

La génération montante

Maintenant que vous avez terminé ce livre, vous vous demandez peut-être qui figurera au prochain palmarès de *The Hockey News*. Eh bien, cessez de vous creuser les méninges. Après avoir consulté les oracles du hockey amateur et professionnel, nous avons dressé une liste de 10 joueurs susceptibles de s'y retrouver. Les voici, par ordre alphabétique :

Rick DiPietro, gardien de but (Islanders) : Certains pensent que Charles Wang, le propriétaire des Islanders, n'avait pas toute sa tête quand, en 2006, il a offert un contrat de 67,5 millions de dollars répartis sur 15 ans au gardien de but de 25 ans. Mais si quelqu'un peut répondre aux attentes sous-jacentes à un tel contrat, c'est nul autre que DiPietro.

Seul gardien de but de toute l'histoire de la LNH à avoir été sélectionné au premier rang d'un repêchage d'entrée, DiPietro a démarré lentement. Recruté en 2000 par les Islanders, le natif de Winthrop, au Massachusetts, n'a produit sa première fiche intéressante qu'en 2003-04 : 23 victoires, 18 défaites, 5 matchs nuls et une moyenne des buts alloués qui est passée de 2,97 à 2,36. En 2006-07, il a inscrit 32 victoires, un record pour le club, ainsi que son meilleur pourcentage d'arrêt (0,919) au sein de la LNH.

« C'est sûr qu'il n'est plus un ado, dit un recruteur. Mais il a le talent et la mentalité d'un champion. Je ne lui aurais pas offert un contrat de 15 ans, mais je lui en aurais certainement offert un de 10. Pour moi, il est une valeur sûre. »

Marian Gaborik, ailier droit (Minnesota) : Le talon d'Achille de Gaborik est sa condition physique. Quand il est en santé, peu de joueurs savent mieux manier la rondelle que lui.

Durant la saison régulière de 2006-07, des blessures à l'aine ont forcé l'ailier slovaque à s'absenter souvent. Mais en 48 matchs, il n'en a pas moins compté 30 buts et enregistré une moyenne de 1,18 point par match, sa meilleure fiche en 6 ans de carrière.

« Honnêtement, dit un DG, Gaborik doit encore faire ses preuves durant les éliminatoires, mais en saison régulière, il est l'un des joueurs les plus dangereux de la ligue. »

Erik Johnson, défenseur (Saint-Louis) : Premier choix au repêchage de 2006, Johnson a tout ce qu'il faut, y compris la taille (1 m 93), pour patrouiller la ligne bleue de Saint-Louis pendant les 15 ou 20 prochaines années. Grâce à son magnifique coup de patin et à ses passes magistrales, il aura sûrement beaucoup de « temps de glace » dès sa première saison dans la LNH. Et dire qu'il aura tout juste 20 ans à l'été 2008.

« Imaginez un Borje Salming, en plus rapide, dit un ancien DG de la LNH. Il n'a pratiquement aucune faiblesse. On sait que certains joueurs vont être grandioses avant même qu'ils jouent un seul match dans la LNH. C'est le cas de Johnson. »

Henrik Lundqvist, gardien de but (Rangers) : On ne peut pas dire que la Suède est réputée pour ses gardiens de but. Mais tout ça va bientôt changer avec Lundqvist. « Je dirais que la plupart du temps, il est l'un des meilleurs joueurs sur la patinoire », déclare un recruteur.

Lundqvist a été finaliste pour le trophée Vézina dès sa première saison au sein de la LNH. Il a gagné une médaille d'or en représentant son pays aux Olympiques de 2006, et de retour avec les Rangers en 2006-07, il a inscrit 37 victoires sur sa fiche.

« Quand un joueur se démarque dans le plus gros marché du hockey au monde, ça donne un bon coup de pouce à sa carrière, dit un DG. Lundqvist est déjà en train de devenir une légende. »

Roberto Luongo, gardien de but (Vancouver) : Luongo a mis sept ans avant de participer à son premier match éliminatoire, mais sa brillante saison 2006-07 avec les Canucks démontre qu'il mérite tout le battage qu'on a fait autour de lui.

En 2006, les Panthers de la Floride et les Canucks de Vancouver ont échangé quelques joueurs, dont Luongo. « Le vol du siècle ! s'est exclamé un dirigeant de la LNH qui réclame l'anonymat. Je prédis que Luongo va gagner des trophées Vézina et probablement quelques Coupes Stanley aussi. »

Depuis qu'il fait partie de la LNH, Luongo a constamment amélioré sa performance, allant jusqu'à récolter 47 victoires en 2006-07. Âgé de 28 ans, il n'a pas encore atteint son plein potentiel, et déjà il se rapproche dangereusement de la perfection.

Alexander Ovechkin, ailier gauche (Washington) : Ce Russe d'origine a une personnalité pour le moins effervescente. Mais on pardonne facilement les fanfaronnades au récipiendaire du trophée Calder 2006.

Au cours de sa première saison dans la LNH, l'ailier vedette des Capitals a compté 106 points, dont 52 buts. En 2006-07, il a compté 92 points, dont 46 buts. « Ovechkin est peut-être effronté, mais il n'est pas méchant, déclare un recruteur. Son jeu défensif demande à être amélioré et sa deuxième année n'a pas été aussi bonne que sa première, mais il est encore en train d'apprendre. Quand il sera rodé, le monde lui appartiendra. »

En janvier 2006, Ovechkin a compté l'un des buts les plus célèbres de la LNH en envoyant la rondelle dans le filet des Coyotes après une mise en échec qui l'avait fait tomber de tout son long. Personne ne doute que ça ne sera pas son dernier exploit. « Le meilleur Russe de toute l'histoire de la LNH ? se demande le recruteur. Ça se pourrait bien. Ça dépend de lui. »

Zach Parise, centre (New Jersey) : Comme il l'a démontré de façon magistrale pendant les éliminatoires de 2007, Parise a le talent et le courage pour devenir un grand joueur.

On aurait cru que Parise ne ferait pas le poids à cause de sa petite taille (1 m 80 à peine), mais ce « handicap » n'a jamais empêché son père, J.P. Parise, de participer à près de 900 matchs. D'ailleurs, dès sa deuxième année avec les Devils, Zach a fait mieux que Jean-Paul dans toute sa carrière en comptant 31 buts.

« Oh, Zach va être meilleur que son père, estime un ancien DG. Le fait qu'il joue à New Jersey ne lui permet pas d'avoir beaucoup de saisons à plus de 100 points, mais il sera la vedette des Devils tant et aussi longtemps que Lou (Lamoriello, DG) sera capable de le retenir. »

Dion Phaneuf, défenseur (Calgary) : Après seulement deux saisons dans la LNH, on se prépare déjà à inscrire le nom de Phaneuf sur le trophée Norris. En 2005, le natif d'Edmonton a déclassé Gary Suter, qui détenait le record des points comptés par une recrue chez les Flames. Il est aussi le troisième défenseur du club à avoir dépassé le cap des 20 buts au cours de sa première année à la LNH.

Et que dire de la puissance de son tir au but ? « Il est féroce, dit un DG. Il est sans merci. Phaneuf a de l'eau glacée à la place du sang. Prenez garde à lui quand son attaque sera à la hauteur de son jeu défensif. »

John Tavares, centre (Oshawa, LHO) : Tavares n'est peut-être que le dernier en lice à prétendre au titre de « prochain Wayne Gretzky », mais il a quelque chose de plus que ses prédécesseurs.

En 2006-07, à l'âge de 16 ans, Tavares a compté 72 buts en 67 matchs pour les Generals d'Oshawa de la LHO, battant ainsi le record de Gretzky (70 buts en 64 matchs). Ce prodige ne sera cependant admissible au repêchage de la LNH qu'en 2009.

« Tavares ne va pas écraser les autres, mais son sens du hockey est très développé, dit un recruteur amateur. Personne ne connaît encore ses limites. C'est effrayant. »

Jonathan Toews, centre (Chicago) : Sélectionné par les Blackhawks au troisième rang du repêchage de 2006, Toews a enregistré 39 points, dont 22 buts, en 42 matchs avec l'Université du Dakota du Nord en 2006-07.

Mais c'est au championnat du monde junior de hockey sur glace de 2007 que Toews s'est vraiment distingué. Durant le match de demi-finale du Canada contre les États-Unis, le natif de Winnipeg a marqué un but à chacun de ses trois tirs en fusillade, assurant ainsi la victoire aux Canadiens par la marque de 3 à 2. La même année, Toews a également participé au championnat du monde de hockey sur glace, à Moscou. Il était le seul joueur de l'équipe canadienne à ne pas être membre de la LNH.

« Toews me rappelle Joey Nieuwendyk par certains côtés, dit un dirigeant de la LNH. Il a un bon coup de patin et manie très bien la rondelle. Et la façon dont il performe sous la pression, c'est du Nieuwendyk tout craché. »